FEMINISMO MATERNO:
O QUE A PROFISSIONAL
DESCOBRIU AO SE TORNAR MÃE

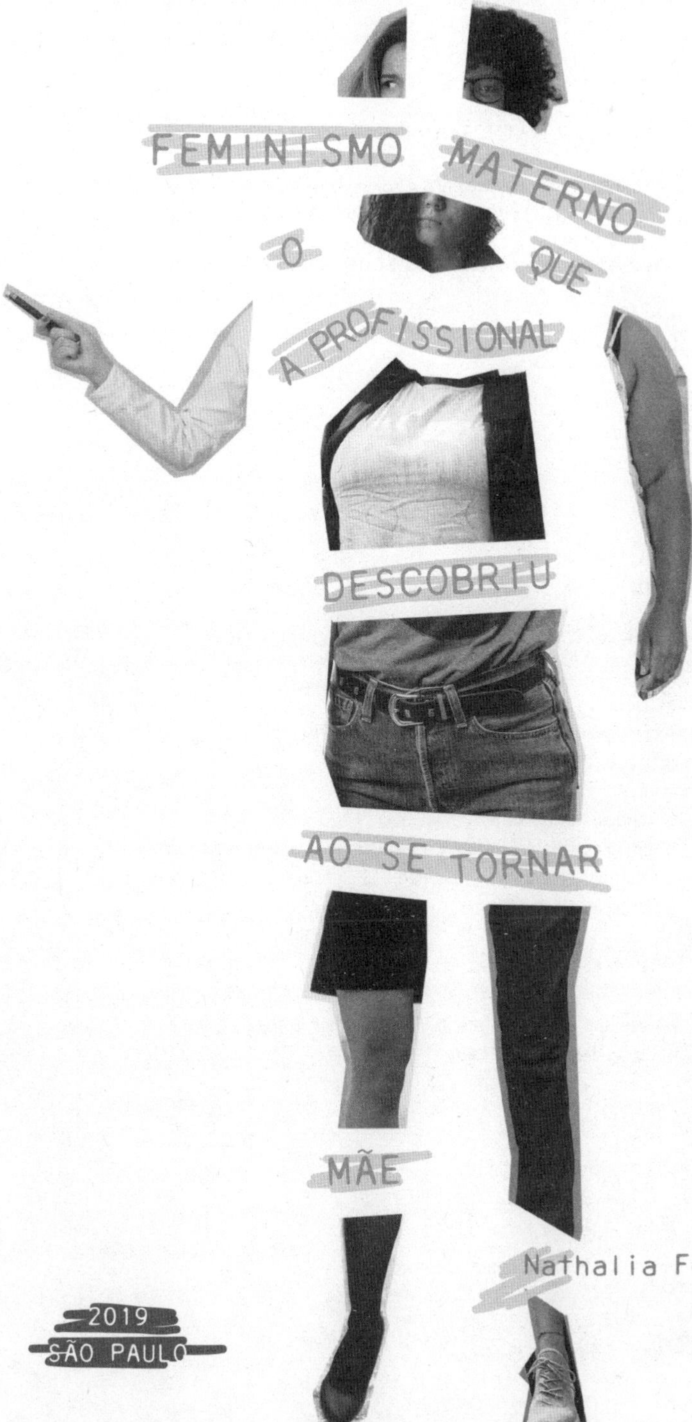

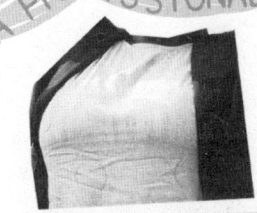

FEMINISMO MATERNO
O QUE A PROFISSIONAL DESCOBRIU AO SE TORNAR MÃE

Nathalia Fernandes

2019
SÃO PAULO

COPYRIGHT © 2019 NATHALIA FERNANDES

Todos os direitos reservados e protegidos a Pólen Livros pela Lei 9.610, de 19.2.1998.
É proibida a reprodução total ou parcial sem a expressa anuência da editora.

Este livro foi revisado segundo o Novo Acordo Ortográfico da Língua Portuguesa.

EDITORA
Lizandra Magon de Almeida

COORDENADORA EDITORIAL
Luana Balthazar

REVISÃO
Pólen Livros

ILUSTRAÇÃO
Thalita Bottari

CAPA, PROJETO GRÁFICO E DIAGRAMAÇÃO
Thalita Bottari

Dados Internacionais de Catalogação na Publicação (CIP)
Angélica Ilacqua CRB-8/7057

Fernandes, Nathalia
   Feminismo materno : o que a profissional descobriu ao se tornar mãe / Nathalia Fernandes. -- São Paulo : Pólen, 2019.
   128 p.

ISBN 978-85-98349-92-3

1. Mães que trabalham fora 2. Maternidade 3. Trabalho e família 4. Mulheres e trabalho I. Título

19-1701   CDD 305.489623

Índices para catálogo sistemático:
1. Maternidade e trabalho

www.polenlivros.com.br
www.facebook.com/polenlivros
@polenlivros
(11) 3675-6077

Para meus dois pequenos,
e grandes amores, Sofia e Luca.
Sem vocês esta revolução não existiria,
muito menos este livro. Por vocês espero mudança
e acredito na capacidade humana de corrigir o rumo.

E para meu marido e companheiro Christian Spano.
Sem seu apoio este livro também não existiria.

SUMÁRIO

8 PREFÁCIO

14 BACKGROUND

16 CAPÍTULO 1
Ainda falta boa parte do caminho — não a esta "igualdade capenga"

28 CAPÍTULO 2
Uma nova constante na nossa equação

40 CAPÍTULO 3
Por que mudar o ambiente de trabalho?

56 CAPÍTULO 4
O papel das mulheres nessa mudança, dentro e fora de casa

74 CAPÍTULO 5
O papel dos homens nesta mudança — dentro e fora de casa

86 CAPÍTULO 6
Uma solução? O fenômeno do empreendedorismo materno

100 CAPÍTULO 7
Quem está criando nossos filhos?

110 CAPÍTULO 8
O que mais aprendi

126 BIBLIOGRAFIA

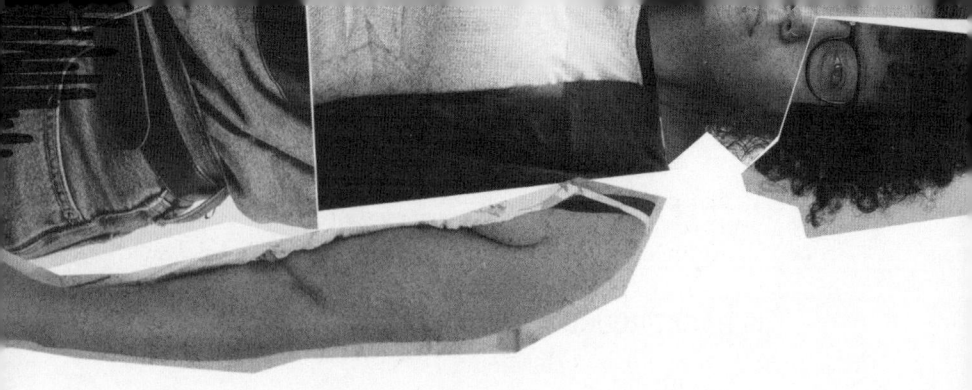

PREFÁCIO

Feminismo Materno — O que a profissional descobriu ao se tornar mãe é um relato sincero — em certos momentos um desabafo — de uma jornalista que encontrou muitas portas abertas para construir sua carreira, mas teve esse percurso interrompido ao decidir ser mãe. Uma mulher que reconhece seus privilégios em relação a milhões de mulheres brasileiras — branca, classe média, escolarizada, com formação superior pública e bolsas de estudo no exterior, que escolheu viver num país em que a licença parental compartilhada é uma possibilidade — e que, mesmo assim, diante da inflexibilidade no trabalho comum a tantas outras mulheres-mães no mundo todo, se viu obrigada a pedir demissão.

Um livro com o qual muitas mulheres podem se identificar, pois expõe, de maneira despretensiosa e ousada ao mesmo tempo, os medos, dores, inseguranças, culpas, reflexões e sentimentos ambíguos que permearam a decisão da autora de deixar de atuar em um mercado de trabalho ultrapassado para estar mais perto de sua filha. Uma decisão que, apesar de ser vista usualmente como uma desistência, se trata de um ato de coragem — um protesto! — contra uma sociedade que não reconhece a necessidade autêntica de mães e pais viverem suas maternidades e paternidades de forma presente, sobretudo nos primeiros anos de vida de uma criança.

Ao compartilhar sua pesquisa bibliográfica, Nathalia elucida o quanto a falta de oportunidades reais de trabalho para mães de crianças pequenas configura um problema sistêmico — e não uma questão privada ou individual —, discutido há pelo menos três décadas por autores e pesquisadores no mundo todo. O êxodo silencioso de mulheres talentosas e altamente qualificadas das corporações tem sido abordado, a partir da definição da pesquisadora americana Pamela Stone, como uma "hemorragia", na qual não lhes é dada, de fato, nenhuma chance possível de combinar trabalho e família.

Mesmo falando abertamente sobre a desilusão da autora frente à necessidade de interromper ou pausar sua trajetória profissional e abordando diversas questões que permeiam a temática maternidade-feminismo-trabalho, o livro não é pessimista. Pelo contrário, aponta para direções de transformação, tanto no modo do mercado se relacionar com mães e pais, quanto na maneira de mulheres e homens se posicionarem frente às empresas e corporações. Ressalta ainda a necessidade de políticas públicas e ações afirmativas, para que Estado e sociedade reconheçam verdadeiramente o valor da parentalidade cuidadosa e presente. "Transformar uma pequena criatura, um bebê recém-nascido, em um ser humano, é um ato civilizatório por excelência", declara Rosiska Darcy de Oliveira, na obra *Reengenharia do Tempo*, citada algumas vezes ao longo deste livro. Trata-se, portanto, de um investimento de longo prazo nas próximas gerações, e consequentemente na continuidade da raça humana.

O que mercado de trabalho e sociedade estão perdendo ao se manterem inflexíveis frente às necessidades das mães? Ao não as considerar pessoas economicamente ativas a partir do momento que decidem assumir a criação de seus filhos e filhas? Ao ignorar as profissionais capacitadas e potentes que sempre foram antes do nascimento de seus bebês, e não vislumbrar competências e habilidades que a maternidade desperta — como eficiência no gerenciamento de tempo, criatividade na resolução de problemas, senso de responsabilidade, liderança e empatia —, tantas vezes abordadas em livros de gestão e negócios? Como o mercado de trabalho poderia se reinventar e se beneficiar com tantas transformações?

Em paralelo, o que as mães estão ganhando ao saírem do mercado de trabalho tradicional? Que caminhos têm encontrado para se manterem produtivas profissionalmente? Que possibilidades têm surgido para essas mulheres ao se reconhecerem como parte de uma rede criativa e potente, capazes de se reinventar, de se apoiar mutuamente, de vislumbrar novas formas de economia e fazer acontecer um ecossistema empreendedor, consciente e colaborativo, no qual uma mãe compra de outra mãe e todas se fortalecem e se empoderam economicamente?

Nesse contexto, em meados de 2015, Ana Laura Castro e Camila Conti criaram no Brasil a Rede Maternativa, no intuito de fomentar o empreendedorismo materno — recurso encontrado por milhares de mães como alternativa para se manterem economicamente ativas diante da inflexibilidade do mercado de trabalho. A rede cresceu rapidamente, e na mesma velocidade a percepção de que havia um problema sistêmico a ser revelado e enfrentado pela sociedade. Atualmente a startup é conduzida por Ana Laura e Vivian Abutaker, e seu propósito foi ampliado para transformar a relação entre mães e trabalho, independente do caminho que cada mulher escolher para se realizar — empreender, permanecer ou mudar de emprego ou atividade profissional, dedicar-se temporariamente ao cuidado exclusivo da família. Queremos que as mulheres se sintam realizadas e reconhecidas, tanto na vida profissional quanto familiar.

No Brasil, diversas questões dificultam ou impedem o acesso de mulheres ao mercado de trabalho e sua consequente autonomia financeira, sobretudo após a chegada dos filhos: licença maternidade curta e desigual para homens e mulheres, gravidez precoce, informalidade no mercado de trabalho, falta de acesso à educação ou formação profissional com qualidade, carência de creches públicas, desigualdade salarial e machismo estrutural são algumas delas.

Por isso, a Rede Maternativa atua hoje em três janelas de transformação: junto às mães — para escutar e dar voz, conectar e formar rede de apoio, capacitar e trazer conteúdo relevante, empoderar e fortalecer a economia em rede, criar empatia sobre a realidade de outras mães, pensar coletivamente estratégias que melhorem sua relação com o trabalho; junto à sociedade — para compartilhar nossas pautas, conscientizar sobre a importância de comprar de empresas maternas, transformar a realidade nas corporações através de consultorias e produção de conteúdo; junto ao poder público — para propor políticas públicas favoráveis, que tenham impacto positivo na realidade de todas as mães, inclusive aquelas que não conseguem acessar o mercado de trabalho formal.

Para o sistema econômico vigente, priorizar temporariamente o cuidado com as crianças é sinônimo de fracasso ou falta de profissionalismo. Para nós, uma escolha responsável e necessária, que quando reconhecida pelas empresas e pela sociedade se transforma num incentivo ainda maior para o compromisso com o trabalho.

❝As mães movem o mundo e nós acreditamos nessa força!"

Rede Maternativa

Rute Bersch, da Rede Maternativa

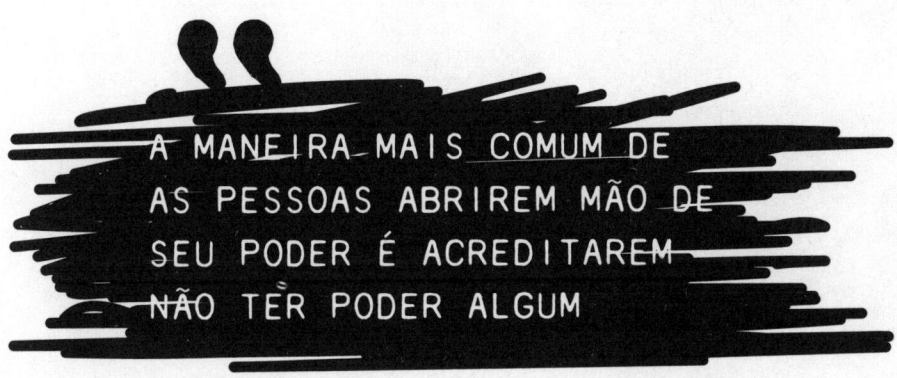

"A MANEIRA MAIS COMUM DE AS PESSOAS ABRIREM MÃO DE SEU PODER É ACREDITAREM NÃO TER PODER ALGUM"

Alice Walker

Quinta-feira, 16h30, estou no playground com minha filha e logo ela encontra uma amiguinha para brincar. A mãe se aproxima. Não preciso de mais de dez minutos de conversa para saber que se trata de mais uma delas: uma mãe a quem de fato foi oferecida uma opção, a opção de permanecer em seu trabalho. Perceber que existe um caminho em que a mãe é respeitada sem que a profissional deixe de existir foi o que me levou a escrever este livro. Gostaria que esse mesmo tipo de escolha me tivesse sido oferecida, o que chamo de escolha real.

Sou brasileira, jornalista e vivo em Londres há mais de dez anos. Aqui convivo diariamente com mães que trabalham três dos cinco dias úteis da semana, ou só pela manhã, ou não trabalham às segundas-feiras e nas quartas-feiras trabalham de casa. Esses são os arranjos mais comuns, mas as possibilidades são, na verdade, infinitas. Basta uma mudança de mentalidade.

Não se trata de bondade ou caridade por parte dos empregadores. Essa abordagem não funciona. A proposição feita aqui é mais realista: o mundo dos negócios está mudando e, com ele, o mundo do trabalho. Nos apegarmos a uma estrutura ultrapassada, criada no século passado, será afinal mais oneroso do que aceitar e promover a mudança trabalhando em conjunto. Empregador e empregado ganham. E, de quebra, no meio do caminho, provavelmente vamos estancar o que já é chamado por autores ao redor do mundo de uma "hemorragia": a saída silenciosa de mulheres altamente qualificadas do mercado de trabalho ao se tornarem mães.

Capítulo 1

AINDA FALTA BOA PARTE DO CAMINHO – NÃO A ESTA "IGUALDADE CAPENGA"!

„

EM TODOS OS PAÍSES,
AS MULHERES PISARAM NA
ARMADILHA DE UMA DEFINIÇÃO
TORTA DE IGUALDADE.
PASSARAM A FRONTEIRA DOS
TERRITÓRIOS MASCULINOS
DO PODER, DO SABER
E DO TRABALHO REMUNERADO,
CONTRABANDEANDO, BEM
ESCONDIDA, A VIDA PRIVADA.
NEGOCIANDO EM POSIÇÃO DE
FRAQUEZA, CALARAM SOBRE ELA
COMO SE FORA UM ILÍCITO;
PROMETERAM AOS PATRÕES
SILÊNCIO SOBRE A CASA,
E AOS MARIDOS SILÊNCIO
SOBRE O TRABALHO

Rosiska Darcy de Oliveira

Com a primeira onda do movimento feminista, protagonizado por mulheres brancas no fim do século 19, garantimos o direito a voto, igualdade como cidadãos e representatividade política. Não foi suficiente, é claro. Independência financeira e igualdade de oportunidades também eram essenciais. Com a segunda onda, invadimos as universidades mundo afora e conquistamos uma fatia do mercado de trabalho, antes exclusiva dos homens. O trabalho feito em casa e não remunerado foi terceirizado ou até mesmo negligenciado.

E tudo parecia funcionar bem no ponto de vista de uma garota branca, de classe média alta, com diversos privilégios, educada para alcançar o que quisesse na vida, que acreditava ingenuamente que o mundo de privações e preconceitos pertencia ao passado, pertencia à história que havia estudado em livros. Ao me tornar mãe, aos 35 anos, percebi que havia comprado uma ilusão de equidade; um conceito mais do que uma realidade. E foi nesse momento que este livro começou a se formar. A ilusão se desfez e senti que havia chegado a hora de construir mudanças.

❝ Temos nos saído melhor em jogar de acordo com as regras dos homens do quem em transformá-las em nossas próprias regras"

Susan Estrich

No livro *The Price of Motherhood, Why the Most Important Job in The World is Still the Least Valued*, a jornalista norte-americana e ex-repórter do jornal *The New York Times* Ann Crittenden resume em uma única frase esse imprevisto nos nossos planos para alcançar a tão sonhada igualdade: o movimento feminista pode ter libertado as mulheres, mas não libertou as mães. "Mudar os status das mães, concedendo-lhes reconhecimento real por seu trabalho, é o grande ponto inacabado do movimento das mulheres", ressalta Crittenden.

O que diferentes autores começam a apontar é que a desigualdade salarial entre homens e mulheres (em inglês usa-se muito o termo "gender pay gap") já não é uma questão centrada em gênero. Sem levar em consideração as especificidades sociais e raciais ao redor do mundo, a renda de uma mulher com boa formação sem filhos se aproxima cada vez mais da renda de um homem com mesma formação em diversos países. O distanciamento cresce quando comparamos a renda de mulheres com filhos com a renda dos demais. Estudo do economista Henrik Kleven, da renomada universidade norte-americana Princeton, publicado em 2018, busca entender a "persistência" da desigualdade salarial, no contexto norte-americano, mesmo quando razões históricas, como a menor escolaridade entre mulheres, estão desaparecendo. O autor sugere então que a diferença salarial entre homens e mulheres não é uma questão de gênero: é, na verdade, uma "penalização por se ter um filho"; uma penalização a quem assume o papel de criar uma criança. "A única coisa que não está mudando é o efeito de se ter um filho. É um fator persistente e constante. Todos os demais fatores estão em declínio, mas o efeito de se ter uma criança é algo duradouro e que acaba assumindo um papel-chave", afirma o economista. Ao redor do mundo, nas discussões sobre como acabar com esse insistente e injusto fenômeno do "gender pay gap", outro termo em inglês começa a ganhar a força. Trata-se da "maternal wall".

Como define a socióloga Pamela Stone, "ser uma mulher em um mundo de homens [entenda-se o mundo do trabalho] não é um problema como costumava ser; ser mãe, sim". E ela continua: "Das razões dadas pelas mulheres para deixarem seus empregos, é fácil prognosticar a existência de uma barreira gerada pela maternidade e baseada na inflexibilidade do local de trabalho".

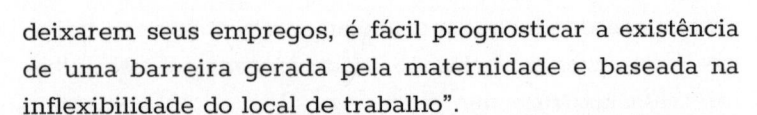

Pesquisa da Escola Brasileira de Economia e Finanças da Fundação Getulio Vargas, de 2016, que contou com a participação de quase 250 mil mulheres, aponta que, em média, 50% das mulheres não estavam mais empregadas um ano após o início da licença maternidade. "No Brasil, a participação de mulheres com filho pequeno no mercado de trabalho é brutalmente mais baixa, mas esse é um fenômeno global. Para os homens, a presença de um filho não afeta a permanência no trabalho, e isso também se verifica no Brasil e no resto do mundo", afirma uma das autoras do estudo da FGV, Cecília Machado, em entrevista ao jornal digital Nexo. Quanta riqueza, fora a que já geram ao cuidar e educar seus filhos, essas mulheres poderiam estar gerando para o país caso lhes fossem apresentadas uma opção, um caminho intermediário?

Nos Estados Unidos, 43% das mulheres com alta escolaridade deixam o mercado de trabalho para cuidar dos filhos. Em seu livro, a jornalista e escritora Ann Crittenden reflete sobre o que considera ser um dos maiores segredos das últimas décadas: o êxodo silencioso de mulheres altamente qualificadas de corporações. "Quando confrontadas com instituições sem tolerância para qualquer pessoa com responsabilidades familiares, muitas mães tomam o único caminho disponível: simplesmente dizer não".

Para tentar resolver um problema é preciso primeiro identificá-lo. É preciso admitir a falha. E é isso o que este livro vem fazer: levantar a discussão. De repente, me percebi com uma bandeira feminista na mão. Um feminismo "relutante", como descreve Deborah L. Spar no prefácio do livro *Wonder Women, Sex Power and the Quest for*

Perfection. Um feminismo de quem espera desesperadamente não precisar mais de um movimento pelos direitos das mulheres, mas que acaba por reconhecer que ainda precisamos. E muito.

Assim como Deborah Spar conta em sua narrativa, eu também não planejei me envolver nessa luta. Mas de repente não pude evitar. Me sentia enganada. Não pela empresa para a qual trabalhava, não por meu marido ou por minha família. Me sentia enganada pelo discurso geral, destinado a mulheres como eu: "Você pode tudo, garota!" Só esqueceram de mencionar que, para tanto, deveria me comportar como um homem e abrir mão de muitos valores que me definem como mulher.

Mas fui avançando, seguindo as regras do jogo por mais de uma década, sem perceber, ou talvez sem querer perceber, que havia algo ali que não se encaixava.

No entanto, após o nascimento da minha filha, já não pude mais ignorar que algo nesse jogo estava errado. Muito errado. Foi o meu momento, foi quando a minha ficha caiu.

Fui ingênua o suficiente para acreditar que havíamos alcançado a equidade. O nascimento da minha primeira filha me fez perceber o que já havia sido tão bem definido pela escritora brasileira Rosiska Darcy de Oliveira como "igualdade capenga". Foi libertador encontrar em seus livros muito do que já vinha pensando e sentindo. Me deu força e confiança perceber que não era a única a sentir o mesmo mal-estar que ela tão bem descreve: "As mulheres estão sendo enganadas, nutridas com esperanças irrealizáveis. Nos termos da sociedade de hoje, o compromisso com a igualdade é uma impostura".

Em uma de suas muitas obras, Rosiska defende que para a saúde e o bem de toda a sociedade — e não apenas como um favor ou uma concessão a ser dada para as mulheres

— seja feita uma "reengenharia do tempo". Chegou então a hora de repensar as regras do jogo do mercado de trabalho. Quem as escreveu e quando, questionando se de fato levam a um maior ganho social e econômico. É hora de nós, mulheres, voltarmos à mesa de negociação.

MINHA EXPERIÊNCIA PESSOAL: A SEMENTE DESTE LIVRO

Me pergunto hoje até que ponto a falta de oportunidades enfrentada pela minha avó inspirou este medo que sinto ao pensar sobre minha decisão de deixar meu emprego após uma fracassada tentativa de negociação.

Minha avó era uma matriarca incansável, generosa e que, com mais de 80 anos, insistia em fazer o café da tarde para a neta que chegava para visitá-la. Eu me sentava ali e ouvia suas histórias sobre a família e esse era um dos raros momentos em que não me importava em ver o tempo passar. Não estava ali em busca de algo, ou esperando algo, ou planejando algo. O que me atraía era a sensação de segurança, e também o prazer de ser cuidada.

E ela podia me contar sobre o novo bordado que estava fazendo para o enxoval do bisneto que ia chegar, ou sobre como seu pai acreditava não ser necessário educar uma filha. Somente seus irmãos foram mandados para a escola, ela e suas irmãs tinham que ajudar com o trabalho na fazenda; não tinham por que estudar, não teriam carreira, o futuro seria casar e cuidar dos filhos, assim como sua mãe e a mãe de sua mãe. Não parecia rancor o que sentia quando contava que não havia podido estudar. Mas havia, sim, tristeza em seus olhos quando precisava de ajuda para ler ou escrever algo. Semianalfabeta, o pouco que sabia escrever, aprendeu sozinha.

Ela se casou com meu avô por amor, para ter filhos e cuidar da sua família, exatamente como seu pai havia previsto. O que meu bisavô não previu, no entanto, era que seu genro se transformaria em um alcoólatra irresponsável que iria todo dia para o bar e não para o trabalho. Com seis filhos e sem educação, minha avó costurava para fora para trazer algum dinheiro para casa e sobrevivia com a ajuda dos irmãos. Quando os filhos já haviam crescido, ainda em uma época em que pouco se falava de divórcio, ela se separou legalmente do meu avô. Ele morreu décadas depois, sem reconhecer os filhos ou a ex-mulher, já com a memória completamente corroída pelo álcool.

Então, quando minha mãe anunciou que se casaria com meu pai, quando ainda cursava a faculdade de Medicina, a reposta da minha avó foi imediata e clara: "Não". Não se casaria antes de ter o diploma na mão. Não iria correr risco algum, só sairia de sua casa formada, com uma profissão — e uma profissão bem paga.

Nascida na década de 1950, minha mãe faz parte das primeiras levas de garotas de classe média com acesso à educação universitária; conquista da segunda onda do movimento feminista, quando as mulheres iriam então, finalmente, chegar ao mercado de trabalho e atingir (supostamente) a tão sonhada igualdade. Ela formou-se em Medicina na renomada USP, na década de 1970. E fez mestrado, doutorado e pós-doutorado. Tem uma carreira brilhante e ama sua profissão. Diria até mesmo que não pode viver muito tempo longe do hospital onde trabalhou a vida inteira. Ela também se casou e teve três filhos.

Uma prova de que as mulheres podem ter tudo, afinal: avançar na carreira e construir uma família? Tenho minhas dúvidas. A história da minha mãe é também uma história de comprometimentos. Tanto na vida pessoal quanto na vida profissional. Sinto que não seria justo com ela entrar em detalhes, mas o que posso dizer é que cresci com a imagem da minha mãe tentando ao máximo equilibrar uma carga inconciliável, impossível de ser carregada — mesmo contando com a ajuda de uma empregada doméstica e de uma babá em tempo integral.

O que posso dizer também é que, como era de se esperar, alguns pratos caem e se despedaçam ao se tentar viver uma vida de constante equilibrismo. É inevitável.

> Ser uma mulher moderna, com acesso a ótima educação e independente, significa abrir mão desse lado altruísta e cuidador que me invadiu desde que me tornei mãe?
> Ou, para ser a mãe que acho que devo ser, tenho que ignorar minha educação e formação e abandonar a experiência que acumulei em quase quinze anos de profissão?

Tomar a decisão de deixar ou não meu emprego me fez então questionar se minha situação e a da geração de mulheres a que pertenço já não é outra. Me fez refletir sobre custos. Como desempenhar o papel de mãe e o de profissional se a regra é não dormir, não descansar, e correr, correr, em uma briga constante contra o relógio, lutando para encaixar peças que simplesmente não se encaixam? E achando, ainda, que a culpa é nossa, das mulheres, por não conseguir montar esse quebra-cabeça!

Desde que me tornei mãe, não deixo de me perguntar se não existe um meio-termo. Não há um ponto intermediário entre ficar em casa completamente dependente da performance e renda de um marido, abrindo mão da educação e da carreira na qual investimos, e deixar seu bebê, ainda com alguns meses de vida, ser cuidado por dez ou doze horas por um terceiro? Essas são as únicas opções? E qual o ônus dessa inflexibilidade, não só para mim e para minha família, mas também para toda a sociedade e para o desenvolvimento de um país?

Vocês já sabem o caminho pelo qual optei. Agora vou contar como foi esse processo de decisão e também como foi o retorno à casa, onde tive que me reinventar para manter algum senso de identidade. As dificuldades diárias, as intermináveis conversas com meu marido, a negociação no trabalho e em casa, as experiências e reações de diferentes pais que conheci durante o processo e também a pesquisa na qual mergulhei para falar sobre um tema urgente para a construção de uma sociedade mais igualitária e saudável. Um tema que parece ter se tornado um tabu, principalmente entre mulheres.

Não estou defendendo que voltemos todas para casa, para criar nossas filhas e filhos como meus bisavôs criaram minha avó. Ninguém perderia tempo lendo ou escrevendo um livro tão retrógrado e absurdo. Mas por que não podemos discutir o atual modelo e analisar seus custos de uma maneira honesta, sem ter que adotar uma posição de tudo ou nada? Por que durante todo esse processo sentia que tinha que escolher um lado? Ou me aliava com as mães que trabalham ou me aliava com as que escolheram deixar o mercado de trabalho. E parecia mesmo se tratar de uma zona de guerra.

Este não é um livro para dizer que o certo é deixar seu emprego e priorizar o cuidado de seus filhos. Tampouco é um livro dizendo o contrário: que o certo é ficar no seu emprego a qualquer custo, sem considerar o impacto dessa decisão nos seus filhos e na sua família. O que tornou meu processo de decisão ainda mais doloroso foi acreditar que deveria adequar meu comportamento, corrigir o que sentia; de que havia um certo e, portanto, o que eu buscava — um

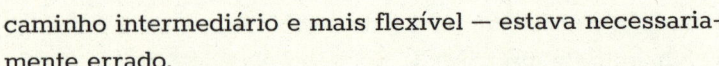

caminho intermediário e mais flexível — estava necessariamente errado.

Sentia que deveria trair o que acreditava como mulher e mãe. Minha natureza, em seu íntimo, parecia errada. E ainda nessa insistência em achar que era eu quem estava errada (e consequentemente precisava ser corrigida), pensava que o problema era que eu havia experimentado um modelo ideal: havia trabalhado meio-período por mais de um ano, com dedicação e eficiência sempre, porém também pontualmente saindo no horário, pouco ligada às políticas internas para subir e alcançar o topo. O topo não me interessava, e eu, ao menos naquele momento, estava bem com isso.

Até que um dia eu finalmente aceitei. Não estava errada. Acredito ser hora de deixar de insistir em tentar consertar as mulheres e começar a pensar em como consertar o sistema. Acredito que é bom e corajoso manifestar desacordo com uma estrutura rígida e muitas vezes burra como a do atual mercado de trabalho. Escrevo este livro porque sinto que tive que escolher entre minha filha e minha carreira, e esse tipo de escolha não me pareceu minimamente justa.

> Quero ser parte de uma nova onda feminista. Voltar para casa não significa voltar ao tradicionalismo. Significa não aceitar me encaixar em um mundo de trabalho criado por homens e para homens. Em um mundo de trabalho em que o único caminho é a competição sem limites e o sacrifício da vida em família.

Não é um fracasso pessoal estar em casa hoje. É o fracasso, sim, de um sistema que assumiu que a estratégia para atingir igualdade era nos transformar nos homens com os quais queríamos nos casar, como bem definiu a feminista e escritora americana Gloria Steinem.

Em última instância, escrevo este livro porque gosto de pensar que nossas filhas poderão trabalhar em um mercado de trabalho diferente, mais flexível e inteligente, e que não precisarão enfrentar resistências ou sacrifícios como ainda vejo acontecer com as mulheres da minha geração. Não terão que escolher entre filhos ou uma carreira de sucesso.

Este é um livro que admite que estamos agora em outro momento. Não somos nossas avós e tampouco somos nossas mães. Cabe a nós percorrer esse caminho e avançar nesse outro modelo, buscando maior equidade entre homens e mulheres, mas sem esperar que para isso ambos tenham sempre o mesmo comportamento e as mesmas prioridades.

Capítulo 2

UMA NOVA CONSTANTE NA NOSSA EQUAÇÃO

"
PROCUREMOS MAIS SER
PAIS DO NOSSO FUTURO
DO QUE FILHOS DO
NOSSO PASSADO

Miguel de Unamuno

O primeiro dia não foi fácil.
Ainda sem fôlego liguei para o meu marido.
— O que aconteceu? — ele me perguntou assustado.
— Perdi o trem. Corri tanto e perdi o trem por 5, 10 segundos. — Respirei fundo. Precisava tomar ar.
— Assim você me assusta. Em quanto tempo é o próximo trem?

Não importava. Não estava ligando para ele por causa do trem e nem pelos próximos dez minutos de espera que sentiria como eternos naquela plataforma. Ligava para o meu marido porque queria tentar entender a decisão que havia tomado. O emprego deveria ser uma oportunidade, uma promoção deveria ser o reconhecimento do meu esforço. Ainda assim, não conseguia sentir a felicidade que um reconhecimento deve trazer. Passei boa parte do meu primeiro dia de trabalho pensando em quando voltaria a ver minha filha. E misturada com a saudade vinha a culpa de saber que não estava tampouco presente ali de fato, não estava sendo nem a metade da profissional que poderia ser caso tivesse tido a oportunidade de um acordo mais flexível.

E agora chorava no telefone como uma menina. Chorava porque havia perdido a chance de chegar em casa mais cedo, de ficar mais tempo com minha filha. Chorava porque amava minha profissão, porém não conseguia me sentir feliz por minhas conquistas. E amanhã seria o mesmo: sair bem cedo e vê-la só no fim do dia, ambas já cansadas, para ter uma, no máximo duas horas juntas, antes de ela ir dormir.

Deveria ser algo banal, não? Tantas mulheres assim o fazem, sem custo, sem sofrimento... Não é mesmo? Porém eu não sentia como banal. Não parecia fazer sentido. Para mim era extremamente doloroso. Repetir e repetir um conceito pode levar você a acreditar nele, mas não vai transformá-lo em realidade. As semanas seguintes também não foram fáceis. Corri muito e perdi ainda muitos trens enquanto tentava me convencer de que o que eu sentia era alguma distorção. Logo não sentiria tanta falta de estar com minha filha, de levá-la ao parque para brincar ou de pegá-la da cama depois de seu cochilo à tarde. Logo passaria. No entanto, não passava. Ao contrário. Crescia.

E foi numa tarde de domingo, em uma conversa com meu marido, que entendi por que, por mais que o tempo passasse, as peças não se encaixavam. Não importava quanto esforço pusesse, as peças pareciam estar sempre fora do seu lugar:

— O problema é que você está tentando usar uma fórmula antiga, que deu certo no passado, sem considerar que adicionou uma nova constante a essa equação. E o peso dessa constante é considerável.

Não tive muito tempo de fazer pergunta alguma. Meu marido pegou da minha mão o livro que estava lendo, e que havia gerado a discussão, e escreveu duas equações. Matemática nunca foi meu forte, como ele bem sabe. E embora não tivesse a menor noção do que significava aqueles rabiscos que ele me mostrava, sabia muito bem que a nova constante a que se referia tinha um nome. Se chamava Sofia, nossa filha.

— A sua alocação do tempo já não é a mesma de antes e já não pode ser a mesma. Existe este ser humano que está sob nossa responsabilidade e que precisa de tempo e cuidado. Podemos tentar mover as peças de um lado para o outro, mas não vai adiantar. É uma nova equação, é preciso refazer o raciocínio.

E refazer o raciocínio significava decidir qual o novo peso que nós dois daríamos às antigas variáveis e também a essa nova constante da nossa equação. O que iríamos comprometer? E o que não estávamos dispostos a sacrificar?

> "Hoje as crianças são as grandes vítimas das transformações culturais em curso. Elas estão sendo descuidadas, e a situação tende a piorar ainda mais, seja porque as mulheres permanecem com as crianças em situações materiais difíceis, seja porque em sua busca de autonomia e realização pessoal começam a negligenciar as crianças, como os homens sempre fizeram"

Rosiska Darcy de Oliveira

Dois anos e meio antes, usando também uma equação, um médico tentou me explicar, dessa vez de maneira precisa e imparcial, outro problema que enfrentava. Após um ano tentando engravidar sem sucesso, e um ano mais buscando explicações médicas que resultaram no diagnóstico e remoção de um grande cisto do meu ovário esquerdo e um cisto mediano do meu ovário direito, o especialista em reprodução assistida me dava boas notícias. Ao menos boas notícias no ponto de vista dele:

— Dada sua idade, seu histórico e o resultado do seu teste AMH, suas chances de engravidar são de menos de 40%. Então, é correr. Até o fim do ano, a gente precisa ver você grávida.

Um mês depois dessa conversa, fazia a primeira tentativa de fertilização in vitro. E tive sorte, sem menosprezar, é claro, o excelente trabalho da equipe médica. Engravidei na primeira tentativa. Era setembro, o ano ainda não havia acabado, tinha 34 anos e estava grávida. Ainda hoje não posso deixar de pensar que tive sorte.

Conto sobre a fertilização porque sei que ter passado por esse processo doloroso de tentar engravidar e não conseguir marcou radicalmente a minha visão em relação à maternidade. É algo tão básico e universal, tão presente e difundido, que às vezes parecemos esquecer que ter um filho é, na verdade, um milagre. Um milagre do qual depende a continuidade da raça humana.

Meu amor pela Sofia não é diferente do amor de outras mães. Não é esse meu ponto. O que pode talvez ser diferente em relação à experiência de algumas mulheres ou casais é essa sensação intensa, praticamente palpável, de que ela poderia não estar aqui. Aquela sensação de que foi por pouco. Tanto que, de maneira quase metódica, como um pequeno ritual, agradeço todas as noites, antes de dormir, por tê-la aqui conosco.

Durante o período em que decidia se devia ou não deixar meu emprego, cheguei a pensar que ter passado pelo tratamento para engravidar era a explicação para essa sensação de que ficar tanto tempo longe da minha filha era algo errado, sem sentido. Tudo seria mais fácil se essa fosse de fato a explicação, não? Mas não é. Não explica os altos números, em diferentes países, de mulheres deixando o local de trabalho, caso financeiramente tenham essa opção. Não explica a insatisfação expressada por centenas de mulheres em tom de desabafo em mídias sociais. Não explica a quase dezena de livros que li sobre o assunto, a maioria de best-sellers internacionais.

O que os números indicam é que as mulheres estão adiando cada vez mais a maternidade, até seus limites biológicos. E tendo menos filhos. É uma tendência mundial. Então, quando finalmente se permitem poder engravidar e construir uma família, talvez estejam menos dispostas a deixar esse bebê para ser cuidado por outra pessoa, um estranho. Mulheres ao redor do mundo que têm acesso à informação e a diferentes métodos contraceptivos parecem estar deixando de ter bebês para criar crianças.

E para formar uma criança é necessário tempo. Uma amiga me lembrou, de maneira carinhosa, enquanto lhe explicava o projeto deste livro, que também é necessário tempo para "formar" uma mãe. Aprendemos com nossos filhos ao longo do caminho e precisamos desse tempo com eles para sincronizar nossas jornadas.

TEMPO PARA CULTIVAR, TEMPO PARA SE DEDICAR

> ❝Foi o tempo que dedicastes à tua rosa que fez tua rosa tão importante (...) Os homens esqueceram essa verdade, disse a raposa. Mas você não deve esquecer. Você se torna eternamente responsável por aquilo que cativas. Você é responsável por tua rosa"
>
> O Pequeno Príncipe

Esta era afinal a principal mensagem que meu marido buscava me mostrar com suas fórmulas matemáticas: nosso tempo é um bem precioso e finito. Existe um determinado número de horas em um dia. Podia passar a dormir quatro, cinco horas por noite, como muitas mães são obrigadas a fazer. Podia — como de fato fiz — cortar qualquer opção de lazer e exercício físico. Seria suficiente? Minha filha estava crescendo e se transformando e, embora já tivesse lido textos e mais textos sobre a capacidade das crianças de aprender com cada estímulo do seu ambiente, ainda me surpreendia com o ritmo do seu desenvolvimento. Podíamos mudar algumas peças de lugar? Colocá-las em outra ordem, talvez? Ainda assim perderia a maior parte das horas em que minha filha estaria acordada. Ela ainda passaria a maior parte das horas do seu dia longe do pai ou da mãe, no mínimo cinco dias por semana.

Imaginei este livro para falar sobre mulheres e homens, sobre igualdade e sobre mudanças no mundo do trabalho. Mas, assim como minha própria experiência me ensinou, esta é uma questão primordialmente sobre o que fazer com as crianças que ficaram em casa após a suposta "libertação" das mulheres. O que fazer com essas crianças que estão sendo esquecidas ou negligenciadas nessa fórmula louca que nossa sociedade insiste em aprovar como a correta?

Não me apaixonei pela minha filha no momento em que a vi toda pequena e indefesa logo após seu nascimento. Esperava aquele amor arrebatador e certeiro desde o momento em que colocasse os olhos nela. Afinal, não é essa a história que nos contam sobre o incondicional e sublime amor materno?

Pois bem, comigo não foi assim. Após quase 24 horas em trabalho de parto, exausta, confusa pela adrenalina e pela anestesia, lembro-me de segurar uma forminha humana amassada, estranha, com a cabeça coberta por um cabelo que parecia uma peruca velha e maltratada. Meu amor pela minha filha não aconteceu ali, naquela primeira noite juntas após seu nascimento.

Ele se transformou nesse amor incondicional, desesperado e primitivo ao longo de cada mamada, de cada troca de fralda, de cada cólica ou febre, de cada passeio e de cada banho. Dia após dia, mês após mês. Ao vê-la sorrir pela primeira vez aos três meses de idade e quando começou a engatinhar aos oito meses. Essa conexão entre pais e filhos não é instantânea e obrigatória, é construída, e precisamos de tempo e de vontade para construí-la.

Em um vídeo sobre a importância do vínculo do adulto com o bebê ou com a criança (disponível no site do movimento O Começo da Vida, iniciado após o sucesso e o impacto do documentário de mesmo nome), uma mãe define assim o amor que sente pelos seus dois filhos: "O amor que eu sinto por eles é uma construção. É uma construção diária. Eu aprendi a amar meus filhos desesperadamente, assim como eles aprenderam a me amar desesperadamente, porque eles descobriram que eu era a mãe deles no dia a dia. Isso significa acordar a noite inteira, dar banho, trocar fralda. É ele se jogar no chão e você aprender a lidar com a manha. Isso é construção do amor".

Por que somos, então, capazes de reconhecer quão essencial é esse vínculo, mas não somos capazes de promover as condições para que mães e pais possam de fato permitir que ele ocorra?

Enquanto decidia se devia ou não pedir demissão, cheguei a tentar me convencer de que o laço que havia desenvolvido com minha filha era exagerado. Busquei me convencer de que não devia querer estar mais tempo com ela. E isso é cruel, não só para a mulher como para a criança.

> ❝Nós falamos sem parar sobre a importância da família; ainda assim o trabalho necessário para se construir uma família é completamente desprezado. Essa contradição pode ser encontrada em cada esquina da nossa sociedade"
>
> Ann Crittenden

Susana Prado, uma amiga de infância com formação em Pedagogia e Psicologia, teve seu primeiro filho fora do país, enquanto o marido estudava na Suíça. Na volta ao Brasil, quando seu filho tinha um ano e quatro meses, ela arranjou um emprego. "Fui desenvolver o departamento de Recursos Humanos de um escritório de advocacia em Campinas. E coloquei meu filho na creche em período integral. E esta, esta é uma lacuna na minha vida que eu sinto dor... Eu sinto dor por — entrando nesta loucura de ter que me 'realizar', de ter que trabalhar — eu ter acabado optando por esse caminho. E não é culpa, não. Eu sei bem, é dor! Com os meus dois outros filhos, que nasceram depois, eu tive a certeza de que eu queria estar com eles."

> **Precisamos dar tempo para esta mãe. É só isso que ela precisa: de tempo. Só tempo. Que este tempo de maternidade e paternidade seja valorizado pelo Estado, pela sociedade. Isso sim é o que faz falta"**
>
> Susana Prado

Segundo a escritora Rosiska Darcy de Oliveira, ao negociarem mal sua entrada no mundo de trabalho, aceitando essa "igualdade capenga", as mulheres calaram sobre a casa e tudo o que há dentro do mundo doméstico. Calaram então sobre seus filhos e sobre a importância desse laço, desse vínculo, para a própria manutenção da nossa civilização, da nossa humanidade. Segundo Darcy de Oliveira, "transformar uma pequena criatura, um bebê recém-nascido, em um ser humano, é um ato civilizatório por excelência". E ressalta: "A ênfase exagerada na vida profissional, em detrimento da vida privada, acaba voltando-se contra a própria sociedade, na medida em que, deixando em segundo plano a função educativa dos pais, abre espaço à deriva no destino de muitas crianças e jovens".

Essa mesma precariedade de acompanhamento, essa mesma sensação de abandono que crianças e jovens parecem experimentar, é o argumento central ainda de um outro livro. Em *A sociedade dos filhos órfãos*, o argentino Sergio Sinay sustenta: "Tanto trabalho os priva do inevitável e prioritário tempo necessário para construir um vínculo de afeto, confiança, cooperação, intimidade, criatividade, transcendência. Em síntese, um vínculo de amor com seus filhos (...). Trabalham para que não falte nada a seus filhos e, com isso, em um cruel paradoxo, terminam fazendo com que lhes falte o essencial: sua presença, sua atenção, seu acompanhamento, seu olhar, seu registro".

O crescimento da minha filha não poderia ser pausado, mas talvez houvesse algo que eu pudesse colocar em stand-by: minha carreira.

E colocar minha carreira em stand-by não significaria falta de comprometimento com a profissão que escolhi. Significaria que não estava disposta a sacrificar minha família e minha filha para me manter em uma trajetória inflexível.

Tinha que buscar novos caminhos. E isso, infelizmente, teria um preço. Um preço para a minha carreira, para o futuro financeiro da minha família e um preço altíssimo para minha identidade e minha autoestima. "Esse é um preço alto demais a se pagar por fazer a coisa certa", desabafa a jornalista Ann Crittenden em seu livro.

E o pior de tudo: muitas vezes é um preço burro, completamente desnecessário.

Capítulo 3

POR QUE MUDAR O AMBIENTE DE TRABALHO?

"É FÁCIL DEVOLVER
À INTIMIDADE DOS CASAIS
OS PROBLEMAS CRIADOS PELA
CONQUISTA DO DIREITO AO
TRABALHO E À CIDADANIA
PELAS MULHERES. CÔMODO
TRANSFORMAR EM CONFLITO
PRIVADO UM CONFLITO CUJA
ESSÊNCIA É PÚBLICA,
NEGANDO-O ENQUANTO
PROBLEMA DE SOCIEDADE

Rosiska Darcy de Oliveira

Colocar ou não minha carreira em stand-by parecia ser uma decisão pessoal. Talvez, no máximo, uma decisão da minhafamília. Porém, quanto mais pesquisava, quanto mais conversava com mulheres que enfrentavam este mesmo dilema, me convencia de que não se tratava de um assunto privado. Se o meu caso fosse um caso isolado, esta decisão não deveria sair da esfera pessoal. Mas meu caso não era um caso isolado.

Dada a dimensão do impacto que essas milhões de decisões pessoais estão gerando, é hora de levar o assunto para a esfera pública. Essa decisão que parece pertencer à esfera pessoal se torna na verdade uma questão urgente sobre o tipo de sociedade na qual queremos viver.

Cursei a faculdade de jornalismo na Universidade de São Paulo, a USP — uma universidade pública — após ser aprovada em um dos vestibulares mais concorridos do país. Durante a graduação, participei de um programa de intercâmbio de um ano entre a USP e uma universidade francesa, em um esquema no qual não precisei pagar nenhuma taxa pelo curso e com o direito a morar em uma residência estudantil subsidiada pelo governo francês. Quando já estava formada, trabalhando como jornalista, ganhei uma bolsa de estudo do governo britânico — não sem antes passar mais uma vez por um rigoroso processo de seleção — para cursar um mestrado de um ano em Londres. Como aluna Chevening[1], não só não pagaria a taxa do curso de mestrado (cerca de 16 mil libras esterlinas, algo em torno de 80 mil reais[2]) como também receberia pouco menos de mil libras esterlinas por mês para me bancar fora do país (ou seja,

---

1. The Chevening Scolarship é um programa internacional de bolsas de estudo que permite que estudantes de 144 países em desenvolvimento com qualidades de liderança estudem no Reino Unido. O programa é financiado pelo British Foreign and Commonwealth Office.
2. Adotamos uma paridade de R$ 5 para cada £1, respeitando uma média histórica no valor de câmbio entre as duas moedas.

um total de cerca de 12 mil libras esterlinas se adicionar outras ajudas de custo que ganhei como parte da bolsa de estudo, ou seja, cerca de 60 mil reais no total). Somando, assim, o investimento dos meus pais na minha educação primária e secundária — estas, sim, cursadas em instituições privadas — eu calculo que minha formação acadêmica custou ao todo cerca de 400 mil reais. Boa parte deste investimento veio de cofres públicos de três diferentes países: Brasil, França e Reino Unido. Trabalhei ainda para diferentes empresas, ocupando diferentes cargos: repórter especializada em mercado financeiro, tradutora, redatora, editora, produtora e repórter de TV. Dentro e fora do Brasil.

Existe um custo econômico real e tangível em não tentar evitar que profissionais como eu, com experiências e boas qualificações, deixem o mercado. Não é só a mulher que perde. De repente, todo esse investimento meu, dos meus pais, de diferentes governos e de diferentes empresas, estava sendo colocado em stand-by simplesmente porque não havia espaço para um sistema de trabalho com mais flexibilidade. Faz sentido?

Multiplique esse mesmo investimento milhões de vezes, pois não sou a única mulher que teve o privilégio de poder investir pesado em sua carreira, trabalhar duro por anos em empregos bem remunerados, mas que, ao se tornar mãe, sentiu que era necessária uma mudança. Faz de fato sentido econômico uma postura tão rígida no ambiente de trabalho?[3]

Trabalho é um contrato estabelecido entre duas partes para remunerar um serviço ou a produção de um bem. Não

---

3. É importante ressaltar que sempre que me referir aqui à flexibilidade no mercado de trabalho, estou falando sobre repensar maneiras de trabalhar e tornar mais flexíveis nossos meios de produção. Em nenhum momento me refiro à flexibilização de leis trabalhistas e abrir mão de direitos conquistados ao longo de séculos. Durante a reforma trabalhista de 2017, o termo flexibilização ganhou no Brasil uma conotação negativa que não existe em outros países. Aqui no Reino Unido, país onde moro há mais de 10 anos, flexibilidade é a defesa de um jeito de trabalhar mais inteligente e usando melhor a tecnologia a serviço de empregados e empregadores. Não é um retrocesso, é um avanço. E é assim que convido você a entender o pedido feito aqui por maior flexibilidade no mercado de trabalho.

é o trabalho que questiono, e sim o contrato que estamos fechando. Nenhuma profissional quer que seu chefe seja "bonzinho" com ela, mas não está errado esperar que seu chefe reconheça que as condições podem mudar, que o contrato pode ser revisto e que é contraproducente também para a empresa seguir insistindo em uma única fórmula, uma única regra. O que defendo aqui é mais humanidade nas relações de trabalho e também maior inteligência emocional por parte de chefes e empregadores.

> Na longa busca por igualdade de gênero, as mulheres tiveram primeiro de ganhar poder e independência ao imitar homens. Mas assim que obtivermos poder e independência, nós não devemos automaticamente aceitar a visão tradicional dos homens – que é na verdade a visão de uma minoria de homens – sobre o que realmente importa no mundo"
> Anne-Marie Slaughter

No livro *Opting Out?*, a pesquisadora norte-americana Pamela Stone descreve o que considera ser uma "hemorragia escondida de talentosas mulheres da força de trabalho" e o alto custo econômico que essa "hemorragia" gera para as empresas, embora pouquíssimas companhias estejam dispostas hoje a falar sobre o assunto. É essencial notar que o título do livro é uma questão, não uma afirmação. Essas mulheres estão realmente optando por sair ou estão sendo de alguma maneira expulsas? "Olhando de diferentes maneiras, há ampla evidência que sugere que as mulheres não tiveram de fato muitas opções ao tentar combinar trabalho e família, e elas não exerceram seu poder de escolha ao decidir deixar suas carreiras", a autora afirma.

A partir de extensas entrevistas com 54 profissionais norte-americanas com carreiras de sucesso em diferentes áreas — como advocacia, medicina, relações públicas e marketing — e que deixaram seus empregos para estarem em casa com seus filhos, a pesquisadora afirma: "Não são as mulheres que são tradicionais, mas o local de trabalho, preso em um túnel do tempo anacrônico que ignora a realidade da vida das mulheres".

Em seu livro, Pamela Stone busca analisar ainda o papel que os maridos tiveram na sequência de eventos que levaram essas mulheres a eventualmente pedirem demissão. "Os maridos tentaram ajudar, diminuir a carga, mas inclusive os mais dispostos a ajudar simplesmente não estavam por perto tempo o suficiente para que os seus esforços contribuíssem de verdade". E não estavam por perto porque seus trabalhos exigiam o mesmo grau, ou ainda maior, de dedicação e comprometimento. Porque não é esperado, na nossa sociedade, que a carreira de homens seja afetada pela paternidade.

Avançar em duas carreiras, com ritmos de trabalho tão fortes, seguindo uma estrutura tão rígida e, ao mesmo tempo, construir uma família saudável acaba se transformando naquela batalha diária, desgastante, que se transforma em uma guerra que você sabe não poder vencer. Umas das mulheres entrevistadas para o livro resume bem o dilema que muitos casais com crianças e duas carreiras enfrentam: "Alguém tem que estar lá", desabafa. E esse alguém acaba sendo a mulher, na grande maioria dos casos.

Se quisermos tentar estancar essa hemorragia de mulheres altamente qualificadas deixando o mercado de trabalho, precisamos flexibilizar as estruturas de trabalho para as mulheres, e também para os homens.

Nos dias que antecederam meu pedido de demissão, meu marido e eu traçamos diferentes cenários. Como em qualquer negociação, era bem provável que a empresa não aceitasse minha primeira proposta de um esquema mais flexível de trabalho, na qual não trabalharia às segundas-feiras e trabalharia parte do dia de casa às sextas-feiras (minha proposta levava em conta o fluxo de trabalho da equipe e quais dias eram historicamente mais carregados de trabalho). Acreditava que viriam com uma contraproposta ou pediriam outras formas de flexibilização. Então meu marido e eu começamos a elucubrar quais outras opções nos permitiriam manter os dois trabalhos e dar um pouco mais de conforto e estabilidade para minha filha, que não se adaptava a passar tanto tempo, de maneira constante, na creche.

Eu poderia não trabalhar nas segundas-feiras e ele não trabalharia outro dia da semana, o que significaria que minha filha só teria que ir para creche três dias da semana, que poderiam ser ainda amenizados com a contratação de uma babá para pegá-la mais cedo, por exemplo. Este foi um dos diversos cenários que traçamos, em que uma combinação de flexibilidade por parte do meu trabalho e do dele garantiria que nossa filha estivesse sendo levada em conta na equação e, ainda, que não houvesse uma queda muito brusca na renda da família. Com os altos custos de babá e creche e com a redução do salário do meu marido, que passaria a trabalhar menos, haveria uma queda em nossa renda, mas, ainda assim, parecia fazer sentido tentar esse caminho[4].

A resposta para o meu pedido, no entanto, veio mais rápido do que eu esperava, e era mais seca do que eu poderia prever. Segundo meu chefe direto, ele pouco havia podido fazer. Era uma decisão dos seus superiores, ele me disse. Não haveria mudança alguma, negociação alguma. Eu, então, reagi mal, porque ainda tinha esperança. Acreditava que minha experiência seria valorizada. Acreditava no meu

---

4. A importância do papel dos pais garantindo uma melhor divisão das responsabilidades no ambiente doméstico será discutida em mais detalhe no Capítulo 5.

valor como profissional e esperava que esse valor os trouxesse à mesa de negociação. Me enganei.

Ao não receber contraproposta alguma, apenas a sinalização de que toda e qualquer negociação estava encerrada, tornou-se extremamente difícil seguir acreditando que deveria manter um emprego que, por mais que gostasse, parecia insistir em fechar portas e não em buscar soluções.

Não posso e nem quero aqui culpar a companhia. Por que iriam alterar suas estruturas se a esmagadora maioria do mercado não o faz? É necessária pressão interna e externa para questionar e mudar, não o caso a caso, mas toda a dinâmica do mercado de trabalho atual. Não acredito que mudar casos isolados, para algumas mulheres em algumas empresas, seja a mudança que queremos e precisamos. É urgente questionar e repensar todo o sistema.

NOVOS FATOS?

Há 30 anos, quando eu ainda tinha dez anos de idade e brincava despreocupada com meus irmãos, a escritora e feminista americana Felice Schwartz já discutia, no artigo "Management Women and the New Facts of Life", a mesma questão levantada aqui neste livro e debatida também por dezenas de outros autores ao longo de três décadas. Schwartz na verdade já apresentava possíveis caminhos e soluções. No texto, ela argumenta que se as empresas querem reter suas melhores profissionais devem criar um ambiente de trabalho mais flexível e que respeite as demandas familiares dessas mulheres. "A chave para lidar com a maternidade é reconhecer o valor dessas mulheres altamente qualificadas e a urgência em retê-las e mantê-las produtivas. O primeiro passo deve ser uma parceria genuína entre a mulher e seu superior".

A feminista americana já apontava há 30 anos o que muitos chefes ao redor do mundo ainda hoje parecem ignorar: trabalhar meio período é o maior incentivo para as mulheres voltarem ao trabalho rapidamente após a gravidez, aumentando a fidelidade à empresa e mantendo-as conectadas com o mundo profissional e com as principais responsabilidades do posto, ao mesmo tempo que se reduz o cansaço e o estresse.

Ainda assim, não era essa a ampla solução que Felice Schwartz vislumbrava para o futuro: "Eu acredito, no entanto, que o emprego compartilhado é a mais promissora e será a forma mais difundida de horários flexíveis no futuro. É viável em todos os níveis da corporação, exceto no topo, tanto no curto como no longo prazo. Trata-se de duas pessoas tomarem a responsabilidade por um mesmo trabalho".

Não seria sem custo, ela reconhece, mas os ganhos superariam as despesas ao garantir maior produtividade e maior motivação dos funcionários.

❝A mulher que quer chegar em casa para estar com seu filho tem um poderoso incentivo para usar seu tempo no escritório de maneira eficaz"

Felice Schwartz

Infelizmente, no entanto, o artigo de Schwartz foi ridicularizado pelo jornal americano *The New York Times*. Segundo a autora, o poderoso jornal fez uma má interpretação de uma das ideias apresentadas no texto, dando início ao uso de maneira pejorativa do termo "mommy track", ou seja, uma trajetória de carreira mais lenta para mulheres na tentativa de melhor acomodar a maternidade.

Em seu texto, Schwartz fala sobre dois grupos de mulheres que conseguia enxergar no ambiente de trabalho. As que colocavam a carreira em primeiro lugar e as que buscavam um equilíbrio entre carreira e família, participando ativamente da criação dos filhos, enquanto continuavam ativas em seus campos de trabalho. Neste último grupo, de mulheres que querem combinar carreira e família, você encontraria ótimas gerentes em níveis intermediários, Schwartz defendia.

Por que todos os funcionários deveriam aspirar o tempo todo pelo topo? A autora argumenta em seu texto que, em níveis intermediários, encontram-se muitos profissionais medíocres que criam problemas para as empresas pois desejam crescer, mas já alcançaram o limite de suas capacidades. A mulher que quer combinar carreira e família, no entanto, pode ser uma profissional extremamente talentosa que, ao menos durante alguns anos (normalmente enquanto seus filhos são pequenos), não quer avançar e não aspira pelo topo; ela está disposta a trocar a pressão que uma promoção significa pela liberdade de desfrutar de mais tempo com seus filhos.

Em uma entrevista ao jornal *The Boston Globe*, em 1992, Schwartz combateu as críticas recebidas afirmando: "Eu violei o politicamente correto ao afirmar que as mulheres não são como os homens. O que eu disse e ainda digo é que as mulheres enfrentam muitos, muitos obstáculos no ambiente de trabalho que os homens não enfrentam. Eu estava dizendo para aquele grupo de homens no topo: 'Ao invés de deixar que o talento dessas mulheres vá simplesmente parar no lixo, faça algo a respeito'".

O BUSINESS CASE PARA A FLEXIBILIDADE

Em fevereiro de 2019, uma matéria ocupou destaque no jornal britânico *The Guardian* e foi compartilhada milhares de vezes em mídias sociais. O título? "Quatro dias por semana: experimento revela menor índices de stress e maior produtividade".

Eu nem havia acabado de ler título e já cliquei para saber mais: uma empresa de serviços financeiros da Nova Zelândia havia mudado de cinco para quatro dias úteis a semana de trabalho de seus 240 funcionários, sem corte de salário, por um período de oito semanas.

Os resultados do experimento? Um aumento de 20% em produtividade e uma redução de cerca de sete pontos percentuais nos níveis de estresse dos trabalhadores. O teste foi monitorado por acadêmicos de duas universidades locais e despertou atenção internacional: a empresa afirmou ter recebido mais de 350 pedidos de organizações de 28 diferentes países querendo saber mais sobre a iniciativa. Os gerentes da companhia reportaram ainda que seus times trabalharam melhor e foram mais criativos, tudo para garantir que o trabalho fosse feito com qualidade dentro de quatro e não cinco dias de trabalho.

❝ Nós fomos tratados como adultos e em consequência todo mundo está se comportando como adulto"

Gerente da empresa na Nova Zelândia que teve sua carga horária reduzida de 37,5 para 30 horas semanais.

Flexibilidade não é apenas um benefício a ser oferecido a empregados. Ou, em uma visão ainda mais conservadora, uma concessão a ser dada para as mães que trabalham fora de casa. Casos como o descrito acima demonstram que flexibilidade é também um mecanismo de gestão que permite aumentar produtividade. É, portanto, um esquema de trabalho que pode ser mutuamente benéfico. E essa palavra — mutuamente — parece ser a que o grupo majoritariamente masculino que está no topo das corporações não consegue entender.

"A flexibilidade no ambiente de trabalho pode apoiar objetivos estratégicos de negócios no longo prazo, incluindo redução de custos devido a uma redução na troca de pessoal, redução de faltas e redução de acidentes de trabalho", ressalta o estudo "Leveraging Workplace Flexibility for Engagement and Productivity", elaborado em 2014 pela Fundação da Sociedade de Gerenciamento de Recursos Humanos dos Estados Unidos. O *business case* apresentado pela instituição destaca os ganhos gerados para empresas ao se obter maior satisfação dos empregados, o que leva a maior lealdade e comprometimento, além de uma melhora em suas performances. Tais evidências não são uma surpresa. Faz sentido que o profissional se sinta mais motivado e ligado àquela companhia específica que levou em consideração reivindicações que vão além do seu salário mensal.

O estudo cita o caso da consultoria Deloitte, que quantificou as economias geradas ao calcular as despesas com novas contratações para repor os profissionais que afirmaram que deixariam seus empregos caso não lhe fossem oferecidos acordos de trabalho mais flexíveis. De acordo com esses cálculos, a Deloitte afirma ter economizado 41,5 milhões de dólares apenas no ano de 2003.

"Todo esse tópico (flexibilidade no local de trabalho) tem muito a ver com produtividade. Quanto mais flexível for o ambiente de trabalho, mais podemos oferecer aos trabalhadores o que eles precisam para gerenciar suas vidas e seus empregos. Nós acabamos alcançando, assim, maior produtividade. É ótimo para a economia e para as companhias", afirma neste mesmo estudo Brenda Barnes. Brenda, que faleceu em 2017, foi CEO da PepsiCo nos Estados Unidos e, de acordo com o jornal *The New York Times*, é uma das mulheres que atingiu maior reconhecimento no mundo corporativo norte-americano.

Talvez a grande resistência por parte de chefes em implementar políticas de flexibilidade seja o fato de que estes terão que se tornar melhores chefes. A flexibilidade faz parte de uma mudança de gerenciamento na qual o foco não está na quantidade de horas que um superior pode ver um empregado de fato sentado em sua mesa. O foco desse outro modelo é o resultado. Não importa quando e como o trabalho foi feito, importa que o trabalho seja feito, e feito com qualidade. Isso significa que metas e objetivos deverão ser claramente estabelecidos para toda a equipe. Isso não é problema para um bom líder, mas torna-se um problema para alguém que não sabe de fato gerenciar um time.

QUANDO MENOS É MAIS

No best-seller *Unfinished Business, Women, Men, Work, Family*, Anne-Marie Slaughter questiona a crença altamente difundida de que o trabalhador obcecado com o seu trabalho e disponível 24 horas por dia, 7 dias por semana, seja de fato o funcionário modelo, o sonho de qualquer empregador. "Nós temos um número cada vez maior de informação que apoia a suposição de que trabalhar menos significa trabalhar melhor." O que diferentes pesquisas indicam é que somos mais produtivos quando não tentamos ser produtivos o tempo todo. E isso se torna ainda mais latente quando se discute profissões que exigem criatividade, a fonte de toda e qualquer inovação.

Para inovar, novas associações devem ser feitas e, para tanto, é preciso cultivar pensamento não linear, conexões aleatórias. O artigo "To Work Better, Work Less" (publicado pela revista americana *The Atlantic* em 2014) vai na mesma direção. O texto fala sobre a obsessão americana (difundida também em diferentes países ao redor do mundo, entre eles o Brasil) de viver para trabalhar, ao invés do contrário. O artigo questiona por que essa cultura de trabalhar longas horas — levando o corpo e a mente ao limite da exaustão e sacrificando, entre outras coisas, a vida familiar — é ainda a norma, se mais e mais dados apontam no sentido contrário, para a necessidade de descanso e lazer, para aumentar a produtividade e diminuir potenciais erros. Por que essas longas horas e essa necessidade de estar disponível e sempre "ligado" não são vistas como ineficiência ao invés de dedicação? O que impede essa mudança de perspectiva?

Em texto publicado na rede social LinkedIn, a americana Sallie Krawcheck, que começou sua trajetória como banqueira de investimentos e passou por outras funções até se tornar empreendedora, fala sobre as reinvenções pelas quais passou na própria carreira. Ela afirma: "Os tipos de transições que fiz podem ser pouco usuais para os meus colegas. Mas eu acredito que carreiras marcadas por transições, giros e reinvenções devem se tornar a norma daqui para frente (...)". Ela argumenta que a visão tradicional de uma carreira de sucesso — uma longa e constante progressão para cima — deverá ser substituída por carreiras marcadas por reinvenções e mais movimentos laterais. E isso porque o mundo dos negócios está mudando rapidamente e esse ritmo de mudança só deve acelerar, impulsionado pelos avanços da tecnologia e da globalização.

"Assumir que a melhor maneira é a maneira pela quais as coisas sempre foram feitas é dificilmente uma receita para o sucesso em uma economia em rápido ritmo de transformação", pondera Anne-Marie Slaughter, reforçando a percepção de que a mudança já está em andamento. Podemos participar da mudança e fazê-la de uma maneira mais saudável e tranquila, ou podemos lutar contra a onda que já deve arrebentar. Que estratégia queremos adotar?

ESTAMOS RESISTINDO AO FUTURO?

Em 2013, a consultoria PricewaterhouseCoopers (PwC) divulgou os dados de um estudo global, realizado ao longo de dois anos e em parceria com a University of Southern California e a London Business School. O levantamento revela que, se pudessem ter mais flexibilidade, 64% dos integrantes da geração do milênio escolheriam trabalhar de casa e 66% prefeririam horários alternativos.

Outra pesquisa da PwC, de 2014, desta vez em parceria com professores da Escola de Administração de Empresas de São Paulo da FGV, aponta que o Brasil não está imune a essas mudanças. Essa tendência global já está aterrissando no país. Segundo os autores, uma megatendência que está exercendo importante impacto nas atividades de companhias no país é o surgimento de novos valores e expectativas em relação ao trabalho e à carreira, indicando a "emergência de uma nova força de trabalho no Brasil — mais informada, conectada e com padrões de renda ligeiramente mais elevados do que nas décadas passadas".

No Brasil, os pesquisadores ouviram 113 empresas, a maioria de grande porte, de diferentes setores da economia. O estudo ressalta que, embora 40% dos entrevistados reconheçam a necessidade de estratégias de flexibilidade de jornada e de local de trabalho, apenas 19% das companhias já realizaram essa mudança. Para justificar esse baixo índice, as empresas falam em dificuldades de ordem prática, como adoção de tecnologia para viabilizar o trabalho remoto. No entanto, também citam obstáculos por parte da cultura organizacional. Cerca de 69% das empresas enxergam a mudança na cultura organizacional como uma barreira, acreditando haver preconceitos dos próprios funcionários em relação a trabalhar menos horas ou em casa. Esta é uma questão que recebe maior destaque do que a suposição de poder à nossa disposição e que pouco utilizamos. O nosso poder de compra e o poder de compra da nossa família. Segundo dados da empresa global de consultoria Boston Consulting Group (BCG), as mulheres controlavam, em 2013, 64% dos gastos das famílias ao redor do mundo. Em 2018, a estimativa é de que as mulheres controlassem globalmente cerca de 40 trilhões de dólares em consumo.

As mulheres não gastam apenas sua massa salarial, mas influenciam ou controlam também os gastos dos parceiros ao gerenciar o orçamento familiar como um todo. E essa é uma tendência global.

Uma forma extremamente eficaz de "se fazer ser ouvida" é atingir o bolso das empresas. É usar nosso poder de consumidoras para fazer a pressão necessária para que mudanças comecem a acontecer. Priorizar marcas de companhias que nos pareçam mais abertas ou favoráveis às mudanças necessárias no mercado de trabalho. E não me refiro só à compra de fraldas ou outros itens para o bebê. Podemos exercer nosso poder de consumidoras também ao escolher qual carro comprar ou qual jornal assinar. Se significar impedir queda em faturamento, companhias, antes relutantes, podem rapidamente começar a enxergar novos caminhos para estruturar suas equipes.

À primeira vista pode parecer um plano sem sentido: como mobilizar essas consumidoras? Minha resposta é: elas já estão mobilizadas, postando milhares de opiniões e levantando discussões como essas diariamente em diferentes mídias sociais, blogs e sites. A internet já revolucionou o feminismo, o movimento agora é outro, é um movimento online, com centenas de sites e blogs e páginas no Facebook e canais no YouTube.

É hora de dizermos adeus a um sistema de trabalho da década de 1950, estruturado por homens e para homens. E lutarmos por um sistema de trabalho que se adeque também à realidade feminina.

Capítulo 5

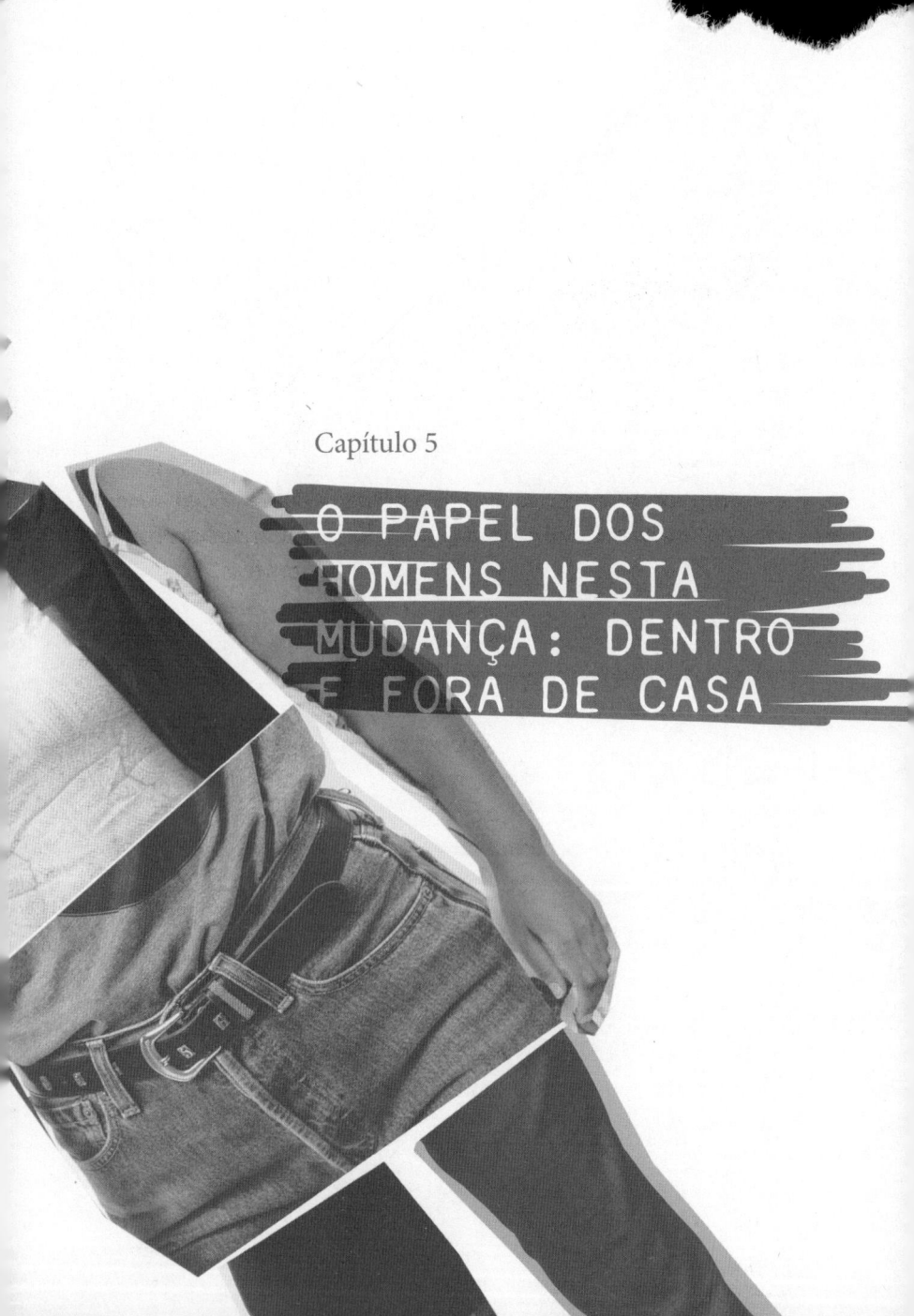

O PAPEL DOS HOMENS NESTA MUDANÇA: DENTRO E FORA DE CASA

"
NÓS ACREDITAMOS QUE, O QUE
QUER QUE PENSEMOS SOBRE
ESTE RÓTULO, AS IDEIAS
RELACIONADAS AO FEMINISMO
AINDA SÃO RELEVANTES.
E, MAIS DO QUE ISSO, NÓS
ENTENDEMOS QUE ESSAS
IDEIAS SÃO RELEVANTES NÃO
APENAS PARA AS MULHERES,
MAS TAMBÉM E MUITO PARA
OS HOMENS
"

Michael Kaufman e
Michael Kimmel

COMO CONQUISTAR NOSSOS MELHORES ALIADOS?

É sábado. Uma manhã cinza e morna para o que deveria ser um lindo dia de verão. Estou sentada em frente ao computador sem saber como avançar na minha escrita, fuçando artigos e livros na busca da frase certa que me permita convencê-los de que não iremos avançar em nossa busca por uma equidade real sem a participação deles, dos homens que nos cercam. Pais, maridos, chefes, irmãos, colegas de trabalho, amigos novos ou de longo tempo. E de repente percebo que não preciso de uma afirmação arrebatadora ou um grande fato histórico. Estar sentada aqui, escrevendo estas linhas, é uma prova de que uma parceria é possível e que pode trazer bons frutos.

Meu marido saiu cedo com a minha filha para passear enquanto eu me dedico a escrever. Hoje, sem seu apoio concreto, estas linhas talvez não existissem. Este livro, em certa medida, também é mérito do meu marido. Não porque a obrigação de cuidar da minha filha não seja dele também, mas porque ele entendeu a importância deste projeto para mim e me apoiou de diferentes maneiras. Muitas vezes com ações de ordem prática, como hoje, muitas vezes ao não me deixar desistir, acreditando no que eu escrevia enquanto eu duvidava da minha capacidade de finalizar o projeto.

Quando se tem o privilégio de ter um companheiro que valoriza a paternidade e que assume suas responsabilidades na cocriação de uma criança, precisamos deixar que os ele de fato organize os cuidados com a casa ou com os filhos a seu modo, seguindo suas prioridades e não com uma cartilha já predeterminada por nós, as mulheres; é um ótimo passo na fundação dessas tão necessárias parcerias. Me tomou muito tempo, por exemplo, deixar de interferir na preparação do que levar quando meu marido sai para passear com minha filha. E às vezes ainda não me controlo.

Hoje de manhã, devo confessar, chequei se ele estava levando ou não o copinho com água para a Sofia. Mas aos poucos estou avançando, melhorando. E aqui, mais uma vez, o que se passa entre quatro paredes não diz respeito só à esfera privada; está intrinsicamente ligado e tem imenso impacto na formação do tipo de sociedade na qual queremos viver.

EQUIDADE É BOM PARA TODOS – INCLUSIVE PARA OS HOMENS

Afinar essa parceria com o meu marido, no entanto, não foi sempre um processo fácil e direto. Batemos cabeça e tivemos alguns tropeços, e muitas, muitas brigas. Acredito que nunca por má vontade de nenhuma das partes, mas simplesmente porque não sabíamos bem o que estávamos fazendo. Tudo era novo: éramos pais pela primeira vez e pela primeira vez enfrentávamos juntos tais dilemas.

Quando entendi que meu marido seria meu grande aliado para lidar com os aspectos negativos e mais difíceis da decisão que havíamos tomado, as coisas passaram a melhorar. Aprendi a me comunicar melhor e a confiar mais. Meu marido, por sua vez, fortaleceu ainda mais o seu vínculo com nossa filha, tornou-se melhor pai e, arrisco dizer: tornou-se um aliado do feminismo, muito mais consciente das questões relacionadas a gênero.

Minha própria experiência confirmou o que meses depois ouvi do sociólogo americano Michael Kimmel, a quem o jornal britânico *The Guardian* define como "o feminista homem mais preeminente do mundo". Já em 2001, Kimmel afirmou em seminário organizado pelo Parlamento Europeu: "Acredito que mudanças entre os homens representam a próxima fase do movimento pela igualdade das mulheres — tais mudanças são vitais para que as mulheres consigam a plena equidade. Homens deverão entender que a igualdade entre gêneros é de seu interesse — como homens".

Mais de uma década depois, em 2015, Kimmel abre sua palestra na prestigiada plataforma online TED dizendo estar ali para recrutar homens para apoiar a equidade de gêneros.

Citando diferentes estatísticas, ele argumenta que a equidade é boa para os países: "Concluiu-se, de acordo com muitos estudos, que os países que têm maior igualdade de gênero são também os que têm o maior índice de felicidade".

E boa para empresas: "A questão que sempre me perguntam nas empresas é: 'Esse negócio de igualdade de gênero vai ser realmente caro, não?' E eu respondo: 'Ah, não. O que você tem que começar a calcular é quanto a desigualdade de gêneros está custando a você agora. Isso sim é caro'".

E boa para os homens também. Na palestra, Kimmel fala sobre as mudanças no cenário social e como os jovens homens de hoje têm expectativas diferentes daquelas que seus avôs ou mesmo seus pais tinham. "Se você prestar atenção no que os homens dizem sobre o que querem na vida, igualdade de gênero é um jeito de conseguirmos a vida que queremos viver".

Portanto, não é descabido. Pelo contrário, faz todo sentido que políticas públicas sejam desenhadas para facilitar, incentivar e aprofundar essa parceria entre homens e mulheres; entre pais e mães.

CUIDADOS COMPARTILHADOS

Em abril de 2015, o Reino Unido implementou a política de licença compartilhada entre pais e mães, Shared Parental Leave, ou SPL em sua abreviação em inglês. Basicamente, a nova lei diz que qualquer empregado, homem ou mulher, tem direito de se ausentar do seu emprego com a chegada de um filho, o que acaba na prática com a grande distinção entre a licença maternidade e a licença paternidade. Das 52 semanas previstas de licença, apenas as duas primeiras são vistas como licença maternidade, exclusivas à mãe. Passadas essas duas primeiras semanas após o nascimento, as 50 semanas restantes podem ser agora divididas entre mães e pais como acharem melhor, e os empregadores, ao menos em teoria, têm que buscar se adequar.

"Não deve haver uma única abordagem, não é assim que as famílias funcionam. Muitos negócios já reconhecem quão produtivos e motivados empregados podem se tornar quando lhe são dadas oportunidades de trabalhar de maneira flexível (...). Essa medida é boa para as famílias, para os negócios e boa para a nossa economia", afirmou o grande defensor da proposta e vice-primeiro-ministro do Reino Unido na época, Nick Clegg.

Em 2016, levantamento da organização britânica My Family Care apontou que apenas 2% das companhias consultadas havia notado uma adesão significativa ao novo modelo de licença compartilhada. Meses depois da divulgação desses dados, o festival Being a Man, que acontece anualmente em Londres e que busca explorar e desafiar as percepções sobre identidade masculina, encomendou outra pesquisa com o intuito de entender o porquê de tão baixa adesão. O estudo revelou que mesmo entre os homens que optaram por aderir à nova política, mais da metade (51%) acreditava que seriam "vistos como menos homem" por terem feito essa escolha. Quase 70% daqueles que optaram por não tirar a licença compartilhada afirmaram que motivos financeiros levaram à sua decisão, um forte indicador de como a diferença salarial entre homens e mulheres é presente e tem implicações diretas e reais na vida de uma família.

Mas há esperança. Cerca de 63% dos entrevistados que tinham direito a optar pela licença compartilhada concordavam que isso poderia contribuir para o desenvolvimento emocional e educacional de seus filhos, e 76% dos homens que diziam pensar ter filhos no futuro afirmaram que iriam considerar dividir o período de licença com suas companheiras.

Um pai que participa da criação de seus filhos sabe a importância desse cuidado e do afeto no desenvolvimento de uma criança, principalmente na primeira infância. Esse pai vai encarar de uma forma diferente o trabalho de cuidar e vai valorizá-lo muito mais; não há como sair imune a uma experiência tão íntima como essa.

O QUE APRENDI COM UM STAY-AT-HOME DAD

Como jornalista em Londres, eu tive a oportunidade certa vez de passar todo um dia acompanhando a rotina de um *stay-at-home dad*, como se diz por aqui. Um pai que optou por pausar sua carreira para cuidar dos filhos. Exatamente o que muitas mulheres fazem, mas, ao invés da mãe, é o pai nesse caso que vive toda a "transformação" envolvida com tal decisão.

John Adams é pai de duas meninas: Helen, de nove anos e Izzy, de seis. Acompanhei a rotina deles de oito da manhã até mais ou menos cinco da tarde. Um subir e descer constante do carro: escola, creche, supermercado, aula de ginástica, parque, casa. Um levar e buscar incessante.

Ao longo dessas breves viagens, John me contou que até 2011 trabalhava na área de comunicações de uma agência governamental britânica. Porém, mais e mais, começou a incomodá-lo a maneira como estavam criando sua primeira filha: na creche em período integral, antes mesmo de completar um ano. A insatisfação se tornou ainda mais forte quando ele descobriu que Helen era a única bebê na creche a passar os cinco dias completos da semana ali. Não sabia, é claro, o arranjo que os outros pais tinham à disposição, nem se eram melhores ou piores. Sabia apenas que sua filha era a única ali a passar todos os dias, tantas horas na creche. E isso bastou para ele.

> As pessoas podem dizer a você que este é 'um trabalho de mulher'. Não é. Você não está ali para apoiar a mãe. Você é uma parte integrante da família. Não deixe que ninguém lhe diga o contrário"

John Adams em entrevista ao blog Ilusão de Igualdade

John conversou com sua esposa e ela sempre havia deixado claro que não era uma mulher que ficaria em casa. Como ele mesmo ressalta, ela é uma ótima mãe, mas sua natureza simplesmente não se afina com isso. Ponto final. Fizeram as contas e ele então percebeu que era viável deixar seu trabalho e se dedicar a cuidar da menina.

E foi o que fez. Desde então, sua mulher é a principal "provedora" da família e ele é o principal "cuidador". Uma inversão dos papéis tradicionais da sociedade patriarcal.

Desde 2012, John escreve um blog de sucesso sobre sua vida como pai. Ele diz que começou a escrever com a ideia de desabafar. Pensou em testar a ideia por três meses; passado esse período, decidiria se ia continuar ou não escrevendo. Como em menos de três meses havia chamado suficiente atenção para ser convidado para reuniões com membros do governo britânico, John decidiu não parar. Em seu blog, ele fala muito sobre sua rotina com as filhas, suas dúvidas como pai, mas não só. Igualdade de gênero, as perguntas e preconceitos a que está exposto por romper com o padrão masculino e também a defesa da valorização da figura paterna e como homens podem ser tão ou mais carinhosos do que as mulheres são temas frequentes e muito bem explorados em seus posts. Em um texto, John afirma: "Criar filhos é uma enorme responsabilidade.

Assumir essa responsabilidade 24 horas, 7 dias por semana, 365 dias por ano não é castrador. É o mais masculino que você pode vir a ser".

No fim desse dia que passamos juntos, ao reparar em sua cara de cansado enquanto tirava o lixo de casa, perguntei qual era, na sua opinião, a principal mensagem a passar para o nosso público. Ele me disse que gostaria que a sociedade reconhecesse o esforço e o sacrifício que homens e mulheres, sem distinção de gênero, estão fazendo ao abandonar carreiras para cuidar de seus filhos. "Este, infelizmente, não é um trabalho valorizado e isso deveria mudar."
"Tempo é o principal presente que podemos dar às nossas crianças", John Adams defende em seu blog

Nesse dia, aprendi que gênero importa menos do que imaginava. Me senti ali muito mais próxima e conectada com um formal pai britânico do que já me senti ao conversar com velhas amigas de infância, mulheres que, como eu, acabavam de se tornar mães.

FORA DE CASA – NOSSOS CHEFES E COLEGAS DE TRABALHO

— Pô! Acho que faltou esforço, hein?

O que responder a um comentário como esse um dia após o anúncio oficial para toda a equipe sobre a minha decisão de deixar meu emprego?

— Se fosse só uma questão de esforço seria fácil.

Foi o que consegui responder. E devia ter esperado algo assim, deveria estar de alguma maneira preparada para ouvir tamanha besteira. Mas não estava. Tive que deixar a sala e ir respirar fundo no corredor por um tempo. Por que me incomodava tanto? Por que sentia que devia me explicar para uma pessoa que não havia acompanhado minimamente minha tomada de decisão? Uma pessoa que não se deu o trabalho de fazer uma única pergunta antes de proclamar seu julgamento preconceituoso? Mas como não se incomodar quando um profissional que não tem metade da sua formação e da sua dedicação se acha no direito de chamar você de preguiçosa?

O que logo descobri é que as mulheres que deixam seus empregos para priorizar seus filhos voltam para casa com vergonha, como se tivessem fracassado. A culpa é delas, nunca do empregador, nunca do mercado. E comigo, infelizmente, não foi diferente. Me senti fracassada por meses. O que eu considerava um ato de coragem, de responsabilidade e de amor, e que me exigiu imenso esforço e altruísmo, é visto pela sociedade como um rotundo fracasso.

Foi necessário tempo para começar a levantar a voz e falar com orgulho da minha decisão. Acredito que a mulher é penalizada duas vezes: perde sua carreira e ainda é vista como preguiçosa, ou como uma espécie de traidora. Ela perde sua carreira e o fracasso é dela, e não de um sistema que está expulsando com sua extrema rigidez um enorme número de profissionais competentes e que tiveram acesso a excelente educação.

Mas felizmente não são todos os homens que estão hoje no mercado de trabalho que têm uma mentalidade tão limitada como a do profissional que citei acima. E ouso dizer que mais e mais homens entendem essa decisão como eu a vejo: como um ato de coragem e não de fraqueza.

Semanas se passaram, estava de volta em casa, mas buscando continuar atuando na minha área como freelancer. E em um desses trabalhos, outro colega, pai de uma menina de um ano e meio, reforçou minha percepção e renovou minhas esperanças. Era bom ouvir de um colega homem os mesmos princípios discutidos com minha família, os mesmos valores que me levaram a pedir demissão. Era o primeiro colega homem que definiria melhor do que eu, talvez, a minha decisão e a revalidaria em suas próprias palavras. Ele via como corajoso o que o outro colega via apenas como "falta de esforço" da minha parte.

Capítulo 6

UMA SOLUÇÃO? O FENÔMENO DO EMPREENDEDORISMO MATERNO

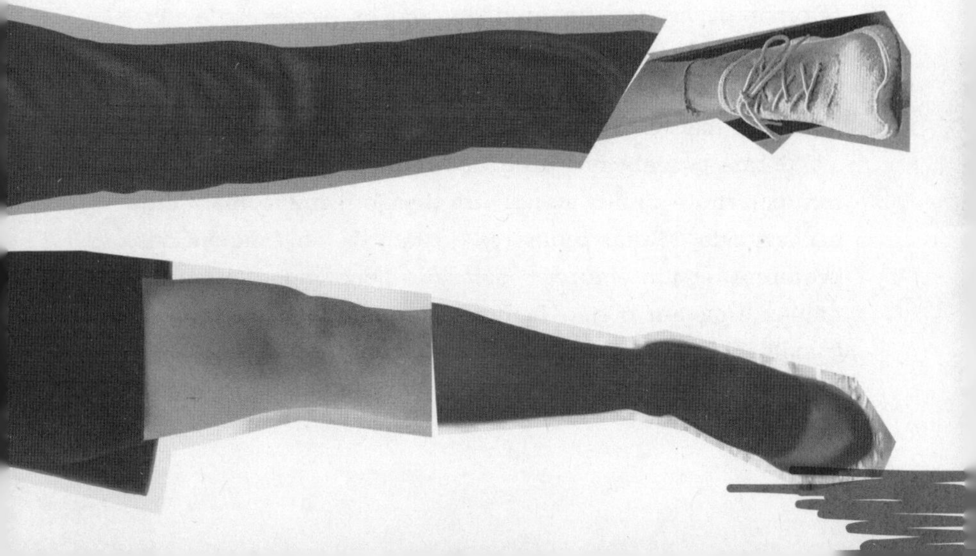

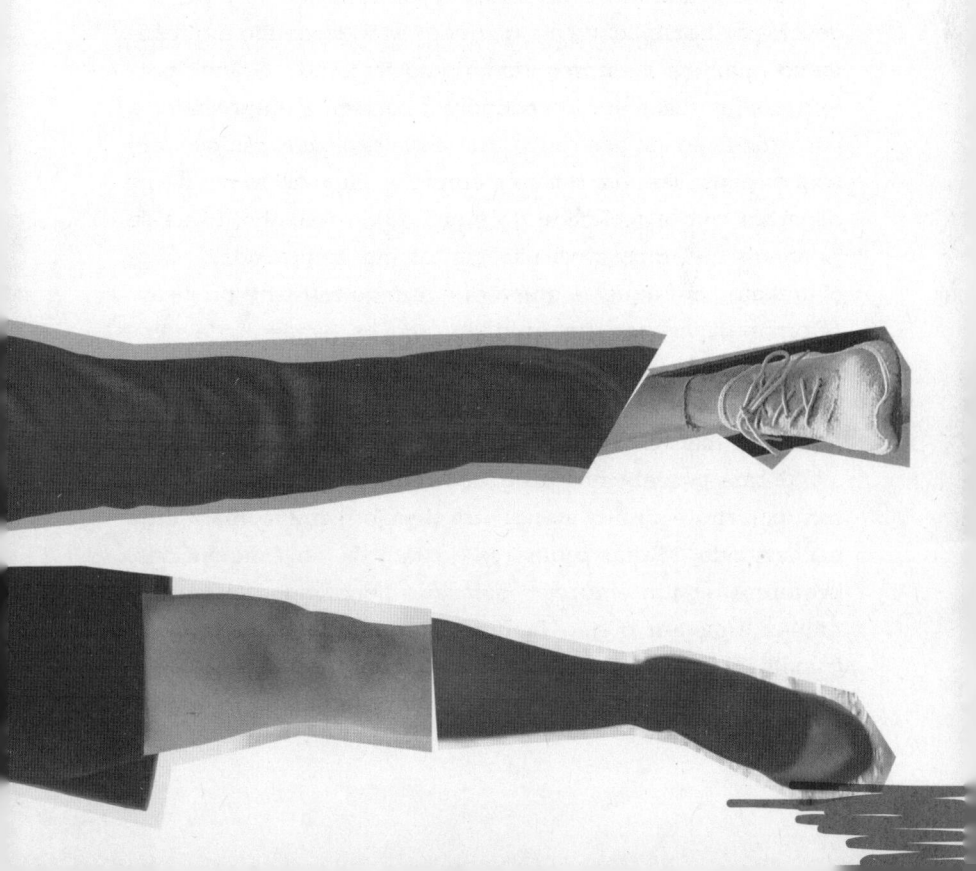

Tenho uma imensa aversão a riscos. Sou tão cautelosa que chego a beirar a burrice. Pedir o financiamento para a compra da nossa casa me assustava tanto que provavelmente pagamos aluguel muito mais tempo do que o necessário. E essa aversão ao risco sempre foi minha principal dificuldade como freelancer.

Embora já tivesse trabalhado antes assim, pedir demissão e voltar ao incerto, ao trabalho conquistado caso por caso, matéria por matéria, me inspirava medo. Me enchia de insegurança. Ainda assim, essa foi a opção que escolhi. Meu desejo por tempo e por flexibilidade, e de poder participar mais da criação da minha filha, eram tão intensos que acabaram por superar meu terror do incerto.

Descobri durante a pesquisa deste livro que esse mesmo desejo por flexibilidade é o que vem impulsionando um fenômeno mundial: o empreendedorismo materno. "Grande parte delas [as mães empreendedoras] começa a empreender a partir da chegada dos filhos. Até a maternidade, muitas nem sequer pensavam em ter uma empresa. Quando as mulheres deparam com a realidade do mercado de trabalho, torna-se praticamente impossível não pensar em empreender, especialmente para aquelas que têm emprego formal e precisam retornar da licença-maternidade com os bebês ainda muito pequenos", afirma Ana Laura Castro, fundadora da rede Maternativa, criada em 2015, e que já reúne em seu grupo no Facebook mais de 23 mil mulheres de todo o Brasil.

"O que percebemos no grupo é que o empreendedorismo materno é muito menos um desejo e muito mais uma necessidade. Muitas mulheres gostam de ser funcionárias, preferem ter um emprego, salário e benefícios garantidos, muitas amavam o que faziam. Entretanto, o mercado de trabalho é tão opressor com a mulher que retorna da licença que muitas não aguentam a pressão e pedem demissão ou são demitidas (...). Entretanto, se as empresas tivessem um olhar mais sensível para esse momento da vida das mães, bem como se houvesse políticas afirmativas para esse público, muitas mães não estariam empreendendo, e sim utilizando sua potência e sua energia nas empresas. Para essas mulheres (nós, inclusive) empreender se tornou a única maneira de gerar alguma renda familiar com um mínimo de qualidade de vida, sem negligenciar o cuidado com os filhos", relatam Ana Laura Castro e Camila Conti[5] do Maternativa.

Essa mesma realidade é validada pela experiência de Ana Fontes, fundadora da Rede Mulher Empreendedora (RME), a maior plataforma de empreendedorismo feminino do Brasil, que conta hoje com mais de 500 mil participantes. "Hoje, 70% das mulheres que fazem parte da Rede são mães, e elas dizem que o gatilho para empreender foi o fato de se tornarem mães. Não necessariamente porque elas se identificavam com empreendedorismo", ressalta Ana.

Quando pergunto, em uma entrevista por Skype, se ela acredita que as mulheres hoje estão de fato optando por sair do mercado de trabalho formal, Ana Fontes responde sem duvidar: "Não é uma opção. Por isso que eu falo que as mulheres são empurradas. Algumas delas até querem empreender, mas não necessariamente naquele momento. A grande maioria é empurrada a empreender pela combinação: ambiente corporativo tóxico e hostil, mais o fato de quererem estar mais próximas dos filhos pequenos. Algumas mulheres vêm me contar esse desejo como se ele fosse um crime: 'eu deveria querer continuar trabalhando nesta empresa, mas não consigo.' Ela não consegue porque

---

5. Desde 2018, a Rede Maternativa é conduzida por Ana Laura Castro e Vivian Abukater. Camila Conti segue participando do grupo, mas não mais como líder.

a empresa não tem um ambiente favorável para que essa mulher fique lá".

Enquanto ouço Ana me contar sua experiência é impossível não reconhecer um padrão, não pensar em como também me senti errada, e como a palavra "empurrada" casa tão bem com minha experiência pessoal. É impossível, enquanto ouço Ana Fontes falar, não pensar em um mesmo ciclo que parece acontecer para diferentes mulheres, em diferentes lugares do mundo: "Já tive casos de empresas em que eu fiz acompanhamento para falar sobre programas de diversidade, nas quais 60% das mulheres saem da empresa após a licença maternidade. Isso não é um problema da mulher. Ela não está enxergando ali na empresa um ambiente em que se sente acolhida nesse momento que é tão difícil. E por conta desse sentimento, ela é empurrada a empreender. Por exemplo, semana passada eu conversei com duas moças que, depois de seis meses, voltaram de licença maternidade e, quando voltaram, não tinham nem mesa mais para trabalhar".

Após uma breve pausa, Ana completa: "E aí a mulher cai nesse mundo; ela é jogada neste mundo do empreendedorismo e tem à frente um caminhão de desafios para enfrentar. E a gente trabalha nisso, porque empreender não é tão lindo como falam por aí".

Antes de criar a Rede Mulher Empreendedora, Ana Fontes construiu uma carreira corporativa longa, trabalhando por quase dezoito anos em uma multinacional. Pergunto a ela quando aquela trajetória parou de fazer sentido: "2007 foi o último ano que eu trabalhei na Volkswagen. Minha filha já tinha cinco anos e eu a via pouco. Óbvio, né? Eu saía cedo e ela ainda estava dormindo, e eu voltava tarde e ela já estava dormindo; ou seja, convivência mínima. Eu gostava muito de trabalhar e gostava muito do que eu fazia, mas comecei a me questionar se eu me via ali, naquele emprego, em cinco, dez anos... E eu não me via ali, naquele ambiente. O ambiente corporativo ainda hoje é muito tóxico em muitas empresas".

A reação das pessoas na época? "Muita gente me criticou por sair, até mesmo minha mãe. Ela dizia: 'Mas, minha filha, você trabalha em uma boa empresa, tem um bom salário, tem um bom plano de saúde e tem carro da companhia'. E o que eu respondia? Que aquilo não fazia mais sentido para mim."

FLEXIBILIDADE E TRANSFORMAÇÃO SOCIAL

"As mulheres até poderiam dominar o mundo, mas nos tornamos empreendedoras para melhorar o mundo"

Ana Fontes, Rede Mulher Empreendedora

Após quase uma década à frente de uma organização que busca primordialmente fortalecer economicamente mulheres através do empreendedorismo, Ana Fontes me conta algo que já esperava ouvir quando perguntei qual era a principal motivação apontada pelas mulheres quando começavam a desenhar seus negócios: "Elas querem ganhar flexibilidade, porque o principal problema das grandes corporações no Brasil é que você não tem flexibilidade. A maioria das empresas ainda trabalha no século passado, querendo a pessoa lá de corpo presente".

"Mas há mais. Quando a gente pergunta para as mulheres por que elas empreendem, os principais motivos estão ligados a fatores emocionais. Quando você faz a mesma pergunta para homens, os principais motivos estão ligados a fatores financeiros. No caso das mulheres, elas falam muito em ajudar outras pessoas, em querer construir algo que deixe um legado para os filhos. Está relacionado a autoconhecimento e ao que ela quer trazer para a sociedade".

"E não há problema nisso, pelo contrário. Mas o que nós trabalhamos muito na Rede Mulher Empreendedora é que você precisa ganhar dinheiro porque, se você não ganhar dinheiro, você não tem sustentabilidade", ressalta ela, reforçando a necessidade de ser pragmática quando se pretende empreender.

No entanto, a ideia anterior é o que me atrai, e instigo que Ana me conte mais sobre essa ânsia feminina por mudança social: "Acho que no nosso DNA a gente tem essa questão do cuidado, e a gente não pode olhar isso como algo ruim. Essa visão mais humana de sociedade, essa visão de uma sociedade mais justa, mais igualitária, com menos desigualdade é uma característica feminina, e a gente não pode olhar isso como algo ruim. Essa característica é muito boa para transformar a sociedade".

Então, quando cerca de uma semana depois escuto Luana Genót me contar sua experiência como empreendedora à frente do Instituto Identidades do Brasil (ID_BR) lembro imediatamente da afirmação de Ana Fontes. Nesse momento, as palavras de Ana Fontes me soam como uma profecia que toma forma no relato de Luana.

Idealizado por Luana e criado em 2016, o ID_BR é uma iniciativa pioneira no país e tem como foco diminuir a desigualdade racial no mercado de trabalho brasileiro, ampliando o número de mulheres e homens negros em cargos de liderança.

Mulher, negra e mãe de uma menininha pequena, pergunto a Luana qual é a desigualdade que ela mais sente no seu dia a dia? "Se eu não disser a desigualdade racial, eu vou estar mentindo. No Brasil, hoje, quando você fala em igualdade de gênero, você imediatamente associa isso à mulher branca. Pra mim, o meu foco está então onde a universalidade não está", desabafa Luana.

Quando na sequência pergunto qual conselho, quando chegar o momento, ela pretende dar para a filha, sobre carreira e trabalho, Luana não me fala sobre possíveis dificuldades futuras relacionada a gênero, e sim à raça: "Eu vou dizer para ela que as pessoas são tratadas de maneiras diferentes, que o coleguinha quando é mais pretinho recebe mais bullying do que outro coleguinha, e que isso está errado e a gente precisa corrigir isso, e que se ela vir isso, ela pode falar comigo ou com a professora. Porque se ela for para uma escola privada, ela vai ser uma das poucas meninas pardas ali, e como menina negra, de cabelo crespo, ela pode sofrer bullying, e eu vou passar para ela que essa também foi a minha realidade e que a gente precisa lutar, senão nada vai sair do lugar", argumenta Luana. "Ela vai estar sujeita a querer ser outra pessoa, como eu também quis ser. Quando tinha nove anos, eu queria ser uma menina branca porque seria mais fácil."

Quando Luana termina de falar, eu comento que, na sua resposta, a questão do gênero nem foi tocada, que foi uma resposta bem diferente da que ouvi quando fiz a mesma pergunta para outras mães de meninas. E Luana concorda: "Total! Porque antes de a gente ser mulher, a gente é negra. Eu passei por isso, eu tinha um grupo de meninas, de amigas, e eu era excluída. Elas falavam do meu cabelo, da minha pele. Nem conseguia entrar na discussão de meninas vestem rosa e meninos vestem azul, sabe? Infelizmente, a gente ainda nem conseguiu chegar na discussão de gênero. Quando me dão uma boneca, eu não vejo que profissão ou tarefa que ela está ali representando, eu ainda vejo a cor da boneca".

Diferentemente do meu caso e da grande maioria de mulheres que são "empurradas" a empreender, Luana já estava no caminho do empreendedorismo há certo tempo quando se tornou mãe. Pergunto, então, se ela acha que ser empreendedora é uma vantagem para uma mulher que quer ser mãe: "Sim, eu não me vejo hoje em uma empresa". Ela me conta da experiência de uma ex-chefe que não queria a gravidez por conta deste ambiente hostil. "Aquilo me traumatizou. Eu pensei: como eu vou gerenciar isso quando chegar minha vez? Esse não é o tipo de liderança que eu quero. E, para minha sorte, tomei um rumo bem diferente."

Alice, hoje com pouco menos de um ano de idade, passa o dia com uma diarista. No fim do dia, às 18h30, a diarista leva a bebê para Luana e ela fica no escritório com a mãe até que o pai chegue do trabalho. "Hoje eu tenho uma equipe de dez pessoas e algumas moças da equipe começaram a pensar em engravidar, e elas se sentem muito motivadas porque veem a Alice ali comigo e veem que eu levo também a Alice para conferências comigo, por exemplo."

> No Brasil, nós vivemos em uma sociedade muito difícil. Ter gente que quer criar coisas para resolver problemas de uma sociedade é fundamental para uma transformação social. Nossa sociedade tem uma grande chance de se transformar através do empreendedorismo"
>
> Ana Fontes, Rede Mulher Empreendedora

"O que mais mudou então para você desde que você se tornou mãe?", pergunto a Luana. "O que mudou é que antes eu trabalhava 24 horas por dia. Sou muito obstinada a trazer mais investimento para o Instituto, a fazê-lo crescer. Mas desde que a Alice nasceu, a principal diferença é que eu tenho otimizado mais os meus dias. Por exemplo, se eu tenho que ir a São Paulo, ao invés de fazer três dias com duas, três reuniões por dia, eu faço um dia com cinco reuniões. Eu tenho um dia bem intenso, mas eu ainda levo a minha bombinha de leite porque amamento. Então a Alice me ajudou, sim, porque eu consigo otimizar mais meu tempo; o que eu fazia em dois, três dias, hoje eu faço em um dia só."

"E outro aspecto é que, desde que ela nasceu, eu sou muito mais cara-de-pau. Eu me acho capaz de fazer qualquer coisa." Luana me conta sobre o parto de sua filha e o poder que sentiu naquele momento: "Quando eu vi aquela cabecinha saindo de mim, eu pensei: 'Deus é bom e eu sou capaz de qualquer coisa. Acabaram as barreiras'."

"Então além de mais produtiva, pois consegue fazer mais em menos tempo, você se sente hoje mais confiante?", pergunto. "Sim, mais confiante. E não vou negar: também muito mais cansada. Não é só de flores que se vive a maternidade, pelo contrário."

"ESTAVA CANSADA DE FICAR EM CASA"

Acompanhei quase diariamente por mais de um ano o grupo do Maternativa no Facebook. Muitos pedidos de dicas sobre contabilidade e uso das mídias sociais, mas também muitos desabafos e relatos de mulheres que tentavam ali entender o que estava acontecendo em suas vidas, suas famílias e suas carreiras. Lá encontrei essa mesma sensação de tristeza e frustração de que as coisas não precisavam ser assim. Muitas chegam à conclusão de que é preciso buscar outro caminho. E empreender parece ser, muitas vezes, o único.

Foi lá que conheci a história de Andrea Vasconcelos, e sua sinceridade sobre a depressão que teve após um período em casa cuidando da filha foi o que chamou minha atenção.

"Aquele não era o momento de eu ter um filho, sentia que estava no auge da minha carreira naquela empresa. E fiquei um tempo escondendo a gravidez", me conta

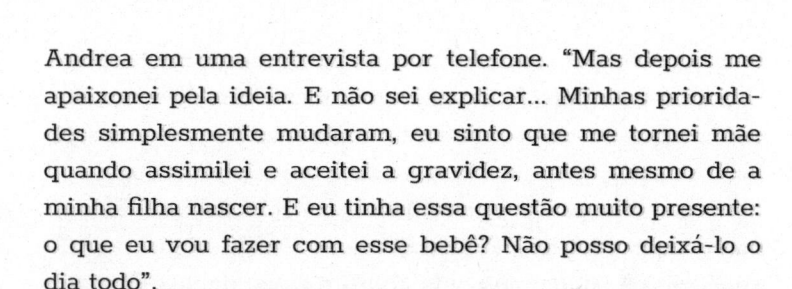

Andrea em uma entrevista por telefone. "Mas depois me apaixonei pela ideia. E não sei explicar... Minhas prioridades simplesmente mudaram, eu sinto que me tornei mãe quando assimilei e aceitei a gravidez, antes mesmo de a minha filha nascer. E eu tinha essa questão muito presente: o que eu vou fazer com esse bebê? Não posso deixá-lo o dia todo".

Na época, Andrea trabalhava na parte administrativa de uma grande empresa de aviação brasileira e mesmo antes do nascimento de sua filha sentiu a necessidade de negociar sua saída com seu chefe. Ela voltou da licença maternidade pouco mais de quatro meses depois do nascimento da filha apenas para treinar uma pessoa para substitui-la. "Quando ela nasceu, aí sim piorou. Foi muito difícil para mim. Eu ficava desesperada ao deixá-la. Ia trabalhar com uma sensação muito forte de estar abandonando minha filha. E isso que ela estava ficando com a minha sogra. Na minha cabeça não havia essa possibilidade, eu sentia que tinha que ficar com ela naquele momento".

"Mas quando ela fez um ano e meio, mais ou menos, aí parece que eu voltei a mudar, voltei a querer trabalhar. Até então, eu queria só ela. Mas depois desse período, algo mudou. Já me sentia segura em deixá-la. Eu adorava estar com ela, mas comecei a ficar deprimida. Eu não estava cansada da criança, estava cansada de ficar em casa. Eu queria voltar a trabalhar, mas eu também tinha aquela pessoinha que dependia de mim, e isso era um problema: eu me sentia culpada por isso. Parecia que eu tinha que gostar daquilo o tempo todo e não sentir necessidade de outra coisa", Andrea desabafa. "Comecei a ficar deprimida porque queria estar ali com ela, mas também sentia muita falta do trabalho".

Andrea se formou em Pedagogia com ênfase em Administração, porém até então nunca havia exercido a profissão. Na busca por um trabalho de meio período, tentando conciliar as duas vontades que sentia, Andrea decidiu ser professora. "Mas logo vi que aquilo não era para mim".

"E aí que eu falo que foi Deus", diz Andrea expressando sua fé. A dona da escola onde trabalhava como professora ofereceu vender-lhe o negócio.

Após um período de negociação e com a ajuda da família, Andrea tornou-se uma pequena empreendedora. "Hoje eu consegui chegar no ponto que queria: estar com ela e também trabalhar em algo que eu gosto, cuidando da parte administrativa e de coordenação pedagógica da minha escola." A filha, hoje com seis anos de idade, passa as manhãs com a mãe e vai para outra escola à tarde, pois a escola de Andrea ainda não oferece Ensino Fundamental.

"Para mim o caminho foi o empreendedorismo. Mas para outras mulheres pode não ser. Por exemplo, tem uma mãe aqui na escola que trabalha com telemarketing. Ela diz que não é a melhor coisa, mas que está bem, pois esse trabalho permite que ela esteja metade do dia com o filho".

No entanto, quando pergunto se ela de fato acredita que a maioria das mulheres têm muitas outras opções, Andrea logo pondera: "É... Se você conseguir um trabalho de meio período provavelmente será em telemarketing e essa não é uma área em que você pode crescer. E não é uma questão de capacidade, é como funciona mesmo esse trabalho".

Desde 2018, a escola da Andrea, em Sorocaba, no interior de São Paulo, gera lucro além da renda necessária para manter o negócio funcionando. Pergunto o que ela faria se lhe oferecessem um "ótimo emprego", na área dela, com flexibilidade de horário e bom salário? "Não deixaria", responde de maneira imediata. "Eu tenho agora esse objetivo, tenho essa meta de ver esta escola crescer e chegar a 50 alunos. Não adianta, não iria largar".

Tendo entrevistado tantas empreendedoras mulheres e donas de startups (assim como empreendedores homens) para meus artigos sobre nova economia e o setor de tecnologia na América Latina, só posso admirar a persistência e a força de vontade que marcam esses profissionais. Ousam sonhar e trabalham e lutam por seu sonho. Empreendedoras e empreendedores são uma fonte importantíssima e essencial para qualquer economia que busque se fortalecer e crescer. O que me incomoda, é claro, não é o empreendedorismo. O que me incomoda, sim, é que este tenha que ser um dos poucos caminhos disponíveis para muitas mães. Mesmo quando elas — diferentemente da Andrea, da Ana Fontes ou da Luana Genót — não têm o desejo ou as características que definem um bom empreendedor.

Capítulo 7

QUEM ESTÁ CRIANDO NOSSOS FILHOS?

"ESSAS MULHERES SÓ PODEM TER SUCESSO NO QUE FAZEM SE CONTRATAM OUTRAS MULHERES COM SALÁRIOS MUITO BAIXOS E EM TRABALHOS MUITO PRECÁRIOS (...) QUE LIMPAM SUAS CASAS, CUIDAM DOS SEUS FILHOS OU ATENDEM OS SEUS PAIS ANCIÃOS EM RESIDÊNCIAS DE TERCEIRA IDADE. EM OUTRAS PALAVRAS: HÁ UMA RELAÇÃO DIRETA ENTRE ESSA NOÇÃO DE IGUALDADE E O AUMENTO DA DESIGUALDADE"

Nancy Fraser

Escrever este livro me forçou a confrontar fatos que antes eu não conseguia enxergar. A raiva gerada ao perceber a ilusão de igualdade teve que ceder lugar à constatação de que eu também era uma privilegiada. A revolta ao perceber a desigualdade a que estava exposta simplesmente por ser mulher teve que ceder lugar à constatação de que também era uma privilegiada por ser uma mulher branca, de uma família de classe média, com acesso à educação em instituições internacionais. Podia contar com a ajuda, por exemplo, de uma faxineira ou de uma babá. Não queria terceirizar a criação da minha filha, mas tinha o privilégio de poder pagar por ajuda se e quando fosse necessário.

Muitas mulheres lutam a cada minuto contra a desigualdade de gênero, mas também contra a desigualdade racial. Muitas mulheres não contam com rede de apoio alguma na criação dos filhos e lutam a vida inteira contra a miséria. A nossa babá (minha e dos meus dois irmãos) morava em uma casa muito, muito simples, em uma região periférica da cidade. Um local bem, bem diferente do bairro e da casa onde morávamos.

Não foi difícil perceber que desfazer essa ilusão de igualdade significa também olhar para dentro de casa e entender quem são essas outras mulheres que estão criando ou nos ajudando a criar nossos filhos. Devemos reconhecer a desigualdade, mas também os privilégios a que estamos expostas. Chegou o momento de pensarmos não só na colega de trabalho ou na amiga de infância, devemos buscar entender também a realidade daquelas que ficam em casa com nossos filhos quando saímos para trabalhar, quer nunca tenhamos saído do mercado, quer estejamos voltando para ele. Valorizar os cuidados com nossos filhos passa por valorizar o papel da mãe e também pela valorização da babá, da empregada doméstica, de educadores em creches, de professores em escolas e de todo e qualquer profissional envolvido na criação de crianças.

> A gente não é uma coisa só. A gente está em encruzilhadas e a gente combina ou intercruza opressões. E o feminismo negro quer pensar em um projeto de sociedade em que a gente não eleja qual opressão é mais importante.
> Se elas são estruturantes, precisamos pensar formas de combate a todas elas."
>
> Djamila Ribeiro

Idade, posição política, grau de escolaridade. Diversos fatores me afastavam da mulher que cuidou da minha filha por mais de um ano enquanto trabalhava fora de casa e que ainda hoje me acode sempre que preciso de ajuda. Com três filhos adultos, duas netas e tendo trabalhado como babá por mais de quinze anos, Elisabete da Silva Rama me ensinou muito sobre afeto e muito sobre crianças; sou imensamente grata a ela.

Certa vez, ainda enquanto cuidava da minha filha pequena, Elisabete me contou um episódio que aconteceu em uma casa onde costumava trabalhar:

— As crianças gostam de brincar de limpar a casa e eu sempre dou um paninho para elas e é assim que eu vou avançando na limpeza, sabe? Elas vão brincando e eu vou limpando. Mas essa mãe, quando viu a menininha ali comigo na cozinha, com o paninho no chão, disse que ela não deveria aprender a limpar, pois sua filha nunca iria precisar fazer aquele tipo de trabalho.

Anos depois, o comentário racista e elitista daquela mãe ainda a machucava. A babá estava se esforçando para fazer seu trabalho da melhor maneira possível, conciliando com o carinho e o cuidado que tinha pela criança; mas aquela mãe só conseguiu ver naquele momento uma maneira de se distanciar daquela mulher que passava o dia com seus dois filhos. Faz sentido tal comportamento?

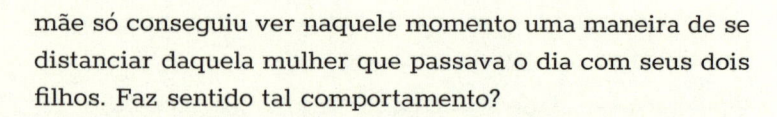

> Por isso, a boa babá não é a que troca fralda na hora certa, faz a comidinha bonitinha, direitinho. Mas é a que ama a criança, a que lhe dá afeto. É a que gosta da criança; esta, por sua vez, demonstra que gosta da babá. Há um vínculo entre as duas. Essa é a boa babá"

José Martins Filho

POR QUANTO?

Saber quem fica em casa para cuidar dos filhos quando pais e mães buscam avançar em suas carreiras diz muito sobre nossa sociedade. Em quais condições? E talvez ainda mais revelador: qual o ganho econômico em linhas gerais obtidos pela família?

Quanto recebo por trabalhar fora de casa versus quanto pago para ter alguém em casa fazendo o trabalho doméstico? No comunicado "Mulher e trabalho: avanços e continuidade", publicado pelo Instituto de Pesquisa Econômica Aplicada (IPEA) em 2010, destaca-se essa relação de interdependência das mulheres de diferentes classes sociais: "(...) tem-se que os dois polos opostos de inserção das mulheres no mercado de trabalho são, na verdade, complementares. As mulheres mais escolarizadas se lançam ao mercado de trabalho, na verdade, porque podem delegar as atividades que lhes são atribuídas no âmbito das famílias a outras mulheres."

Não só no Brasil, como em toda a América Latina (ou seja, em países marcados por grande desigualdade de renda), um exército de mulheres pobres e sem muitas opções precisam se sujeitar ao trabalho doméstico e essa condição social é o que garante a muitas famílias de classe alta e classe média alta a possibilidade de ter uma empregada doméstica em período integral. Segundo estudo global da Organização Internacional do Trabalho (OIT) de 2013, o Brasil é o país do mundo com maior número de trabalhadores domésticos do mundo. São 7,2 milhões de brasileiros exercendo esse tipo de função, a imensa maioria mulheres (93%), ou seja, 6,7 milhões, representando 17% do total de trabalhadoras do país.

Outro estudo publicado pelo IPEA em 2016 — "Mulheres e trabalho: breve análise do período 2004-2014" — ressalta o quanto essa realidade social está intrinsicamente ligada a um fato vergonhoso da nossa história. "Significativa herança de nosso mal superado passado escravocrata, o arranjo de famílias de classes média e alta delegarem a realização de todas as tarefas domésticas de seus lares, incluindo o cuidado de crianças e adultos dependentes, a mulheres de classes baixas, em geral em situação bastante precária, está de tal forma enraizado em nossa sociedade e em nossa cultura que os avanços recentes em termos de conquistas de direitos para essa categoria geraram debates e desconfortos".

No documentário curta-metragem *Mucamas*, de 2015, o espectador também é remetido a este mesmo passado: "Mucamas eram as mulheres negras trazidas para serem escravas de estimação das sinhás. Elas cuidavam dos serviços domésticos da Casa Grande, da criação e amamentação dos filhos da família, cozinhavam para seus donos, mas moravam na senzala com os outros negros. O trabalho doméstico é uma das profissões mais antigas que existem no Brasil, presente no país desde sua colonização (...)". O filme busca retratar a vida das domésticas em São Paulo e tem como diferencial o fato de que o tema é abordado por meio da lente das filhas dessas trabalhadoras. "O que me motivou a fazer o filme foi ter a oportunidade de contar a história das nossas mães com um olhar mais humano", explica em uma entrevista Ione Gonçalves, editora do documentário. Ione afirma ainda: "Minha mãe nunca me deixou pensar na possibilidade de ser doméstica, até então eu não sabia dos detalhes sofridos que ela passou".

ATÉ QUANDO?

O estudo do IPEA "Mulheres e trabalho: breve análise do período 2004-2014" ressalta ainda que, felizmente, a proporção de mulheres no trabalho doméstico remunerado vem caindo no Brasil. Trata-se de uma questão de oferta, afirma o relatório. As mulheres jovens já não estão interessadas nesse tipo de trabalho: "De fato, por sua estigmatização, seus baixos níveis de rendimento e proteção social e por ser marcado por discriminação e exploração, o emprego doméstico exerce pouca atratividade para as mais jovens, em geral mais escolarizadas, que preferem entrar no mercado de trabalho em outras posições, ou ainda, permanecer na desocupação".

Somente depois de me tornar mãe entendi por que tantos casais de amigos deixavam uma vida já construída na Europa ao terem filhos para voltar para seus países. Diversos fatores podiam contribuir para a decisão, como saudades ou querer estar mais perto da família. Mas seria ingênuo negar que a possibilidade de ter uma empregada e uma babá em casa para assumir o mais pesado do trabalho doméstico pesava, e muito, na decisão desses casais. Muitos amigos verbalizaram sem problemas que esse fator era algo preponderante. Eu mesma, devo assumir, em diversos momentos me perguntei se minha vida não seria "mais fácil" no Brasil. O custo da ajuda doméstica é significativamente maior em países com economias desenvolvidas e isso porque a desigualdade de renda é também significativamente menor nesses países, a escolaridade e o acesso a outras oportunidades é muito maior.

Quando eu trabalhava em período integral, gastávamos no mínimo, em um mês sem nenhum imprevisto (caso raro para uma família com uma criança com menos de três anos), o equivalente a mais de três quartos de todo o meu salário mensal entre babá, creche e faxineira. Ainda ficava de fora o custo de transporte e o extra de não comer em casa.

O que me leva a pensar que se caminharmos no que parece ser a tão sonhada direção de ter uma sociedade com menor desigualdade de renda e menor desigualdade racial, esse exército de mulheres que hoje estão em casa cuidando dos nossos filhos não só vai diminuir (como os dados recentes levantados pelo IPEA indicam), como também essa mão de obra se tornará mais cara, chegando finalmente a um valor justo. Ou seja, se quisermos de fato viver em um país menos desigual e violento, contar com a ajuda de uma babá ou de uma empregada se tornará mais caro, talvez até mesmo um luxo. E, assim sendo, o incentivo econômico das mulheres de não deixarem o mercado de trabalho deverá também diminuir, ou até desaparecer.

Quanto mais caro o cuidado com as crianças se tornar, mais visível a barreira da maternidade se tornará para pais, mães e também empregadores. A questão não vai desaparecer. Pelo contrário, se formos bem-sucedidos, deverá agravar-se. Deverá agravar-se caso a sociedade brasileira tenha sucesso em se tornar uma sociedade melhor, menos desigual tanto em termos raciais como de renda.

E ONDE ENTRA A CLT?

Este livro questiona como nosso modelo de trabalho está estruturado. Como a relação entre classes funciona em nossa sociedade, como calculamos produtividade e como a revolução tecnológica vem alterando modelos de produção ao redor do mundo. Então, como parte deste livro deveria questionar a legislação trabalhista brasileira, não é mesmo? Deveria criticar a CLT?

O que descobri ao pesquisar este livro é que a discussão proposta aqui é infelizmente anterior mesmo a um conjunto de leis do século passado. A CLT, criada há 76 anos, em 1943, pelo presidente Getulio Vargas, é uma conquista importantíssima da classe trabalhadora. Revisada e alteradas inúmeras vezes depois de sua criação, esse conjunto de leis, no entanto, pouco olha para a maternidade. Segue sendo uma legislação criada por homens, para um mundo de trabalho liderado por homens.

E não estou falando sobre política de licença maternidade e licença paternidade e estabilidade no emprego para a mulher por cinco meses após o parto. Sim, é maravilhoso que nossa lei garanta estes direitos. Mas é suficiente? E passado os cinco meses? O que acontece? Porque, em cinco meses, seu filho não estará criado e pronto para a vida. Arrisco dizer que mãe e filho estão apenas iniciando sua jornada de aprendizado ao final desse curto período. Infelizmente nossa lei ainda não entende como problema público o preço dos cuidados para se formar as crianças do nosso país. Este continua sendo um custo invisível. Sinto que não posso criticar ou defender um conjunto de leis que sequer se deu o trabalho de olhar o problema a partir a perspectiva da mulher, menos ainda da mãe.

Capítulo 8

O QUE MAIS APRENDI

"

EU ESTOU COM RAIVA. NÓS
TODOS DEVEMOS ESTAR COM
RAIVA. A RAIVA TEM UMA
LONGA HISTÓRIA DE CRIAR
MUDANÇAS POSITIVAS.
MAS EU TAMBÉM TENHO
ESPERANÇA, PORQUE ACREDITO
PROFUNDAMENTE NA CAPACIDADE
DOS SERES HUMANOS EM
MUDAREM PARA MELHOR

Chimamanda Ngozi Adiche

DIAS ANTES DO PEDIDO DE DEMISSÃO

Voltava para casa. A negociação já estava encerrada. E era hora de decidir. Estava bem vestida, toda de preto, salto alto, maquiada. Tinha acabado de entrevistar um ator de Hollywood em um evento fechado para jornalistas internacionais. Divulgavam em Londres um filme indicado em seis categorias do Oscar.

Mas, ao voltar para casa, sentada no trem, não pensava sobre a entrevista ou sobre o ator ou sobre o filme. Observava apenas uma mãe que tirava seu bebê do carrinho, pois ele havia acordado e já reclamava colo. E pensei apenas que não queria ter que controlar meu choro todo fim da tarde.

Ali, naquele momento, não me importava o glamour do meu dia. Não me importava Hollywood. Tudo o que pensava era que havia sido um dia longo demais, sem a presença da minha filha pequena.

DIZENDO TCHAU

Quando estava me despedindo de uma colega, já no meu último dia de trabalho, ela me perguntou se havia caído a ficha. Achei a pergunta um tanto fora de lugar e, como não sabia o que ela esperava que eu respondesse, optei pelo padrão: que estava tranquila em relação ao caminho que havia tomado. Não disse, no entanto, que nunca senti essa decisão como uma escolha, que este infelizmente parecia ter sido o único caminho possível a escolher.

E não sei por que não o fiz, por que não disse o que realmente sentia. Talvez porque naquele momento ainda acreditasse que estava errada de alguma maneira. Precisei mais uma vez de tempo; agora, tempo para encontrar minha voz.

> A primeira batalha a ser ganha por quem decide quebrar preconceitos e afirmar-se como ser autônomo é acreditar que tem recursos espirituais e materiais para desenhar sua vida à imagem e semelhança de seus desejos. É preciso superar o intenso sentimento de insegurança"
>
> Rosiska Darcy de Oliveira

MESES APÓS A DEMISSÃO

Meses e meses após a demissão ainda me pergunto como fazer quando você sabe que tomou a decisão correta, mas o peso dessa decisão parece ser maior do que você aguenta carregar? Não me sentia assim na maioria dos dias. Talvez em alguns deles nem pense no assunto, mas de repente me invade essa nostalgia misturada com a sensação de estar tão sozinha, tão isolada, tão desconectada do resto do mundo. De ter deixado de ser quem eu era. Sabia que não seria fácil, mas nunca imaginei que seria tão difícil.

O que me acalma nesses dias é saber que, mesmo nesses momentos ruins, basta um carinho ou um sorriso da minha filha para me dar um pouco de perspectiva, para me ajudar a focar mais uma vez no meu projeto de longo prazo.

Acho que simplesmente não é fácil ser altruísta. É preciso muita confiança e paz para dia após dia me reconectar com a série de motivos que me fizeram pedir demissão: cuidar da minha filha e ser a mãe que acho que devo ser, oferecendo estabilidade financeira, casa, saúde, mas também amor, carinho, atenção e tempo. E também quis marcar uma posição: não concordo com a organização e a inflexibilidade desse mercado de trabalho. Não é e não precisa ser a única via, então por que tanto sofrimento e penalização da mulher? Por que não um caminho alternativo? Por que não reescrever essa fórmula ultrapassada de um mercado de trabalho que precisa, sim, se atualizar?

E me custa reconhecer que tenho dias assim. Porém, é essencial que reconheça esses momentos não só para que possamos entender a maternidade em sua totalidade, com suas maravilhas e mazelas, mas também para ressaltar que não quero e nunca quis matar a profissional ambiciosa e cheia de sonhos que sempre existiu em mim. Me dói ainda hoje ter sacrificado esse aspecto da minha identidade e este livro é minha tentativa de fazer essa ferida cicatrizar.

E acredito não ser a única a me sentir assim. No livro *Opting Out?*, a autora conclui após entrevistar dezenas de mães em casas: "Embora valorizem plenamente as alegrias e recompensas da maternidade, as mulheres também descobriram que essa versão que escolheram de mães que estão em casa é muito mais difícil do que imaginavam".

SACUDINDO A POEIRA: A PROFISSIONAL SE REINVENTA

Apesar de toda raiva e revolta, não posso e nem quero ficar me lamentando. É preciso avançar, aprender, buscar outros caminhos. Manter-se ativa para ter independência financeira, mas não só: também para resistir ao isolamento e à perda de identidade, também para buscar satisfação pessoal.

Desde que comecei a escrever este livro muita coisa aconteceu na minha vida. Engravidei de novo e dessa vez foi uma grande surpresa. Após a dureza do tratamento para infertilidade, eu e meu marido estávamos convencidos de que só teríamos a Sofia como filha. Porém, em setembro de 2016, depois de muita insistência por parte do meu sogro, que me achava especialmente mal-humorada, fui até a farmácia da esquina e comprei um teste de gravidez. E meu sogro estava certo: eu estava grávida de novo.

Em junho de 2017, nasceu Luca, meu segundo filho. Mais uma vez minha noção de cansaço e de amor foram revistas. Quando Luca tinha semanas apenas, me lembro de olhar para ele enquanto dava de mamar e ter a sensação de estar segurando de novo minha filha bebê nos braços: não essa menina vaidosa e cheia de personalidade de hoje, mas sim a Sofia bebê, gordinha e sorridente.

Meses depois, quando Luca tinha seis meses, decidi assumir a imensa insatisfação que buscava sufocar e a falta que me fazia trabalhar. Uma ideia já me rondava e havia lido muito e conversado com outras mulheres a respeito. Iria embarcar em uma nova carreira. Poderia continuar trabalhando como jornalista freelancer, mas sentia que precisava de um plano de mais longo prazo que me garantisse uma renda maior e um leque mais amplo de oportunidades.

> Não quero e nunca quis matar a profissional ambiciosa e cheia de sonhos que sempre existiu em mim.

Me matriculei em um programa intensivo de seis meses de treinamento online em uma instituição que vem crescendo ano após anos, atraindo mães não só de Londres, mas de todo Reino Unido, que sonham com uma via de trabalho mais flexível. Em janeiro de 2018, eu decidi que iria me tornar uma #DigitalMum.

"Nossa ideia original era ajudar pequenos negócios em Hackney (bairro na zona leste de Londres) com marketing digital. No entanto, nós logo percebemos que só poderíamos ajudar uma pequena parcela. Percebemos que se quiséssemos ter um grande impacto em milhares de outros pequenos negócios em todo o Reino Unido, nós precisaríamos de um exército para nos ajudar. E foi aí que tivemos o clique", conta em seu blog a empreendedora britânica Nikki Cochrane. E continua: "Nós percebemos que o exército que precisávamos eram um exército de mães".

E foi assim que, em outubro de 2013, Nikki e sua sócia Kathryn Tyler fundaram Digital Mums, uma empresa que em pouco mais de cinco anos treinou mais de 1.500 mães para trabalhar com mídias sociais e marketing digital. Eu sou uma dessas 1.500 mulheres.

Para se matricular, você tem que ser mãe. Ponto. Este é um critério essencial para uma empresa que diz não querer apenas ter lucro, mas também ajudar a resolver um problema social: o imenso contingente de mães fora do mercado de trabalho no Reino Unido.

Para o curso que eu fiz (com estimadas 350 horas de treinamento), era necessário ter um background em comunicação já que iria trabalhar com um negócio real e colocar no ar uma campanha de marketing em ao menos duas plataformas diferentes. E este, na minha opinião, é o grande diferencial de Digital Mums: elas "casam" as mães com pequenos negócios que, em muitos casos, como no meu, se transformam em um futuro cliente. Após meses trabalhando lado a lado e vendo o impacto do seu trabalho, os novos "chefes" deixam de questionar de onde, a qual hora, em qual ritmo você está trabalhando. Após os seis meses, esses pequenos negócios já estão convencidos da capacidade das mães de entregarem um bom trabalho e sempre a tempo. Do ponto de vista da mãe que está se "reinventando" também é muito interessante pois, embora não seja garantido, muitas vezes você acaba o curso tendo em mãos o tão sonhado "Primeiro Cliente".

> "O atual modelo de trabalho, o que a maioria de negócios na Grã-Bretanha segue, está quebrado. A internet revolucionou o que é possível, mas a cultura empresarial não evoluiu com ela"
>
> Nikki Cochrane – fundadora de Digital Mums

Nikki e Kathryn não são mães. No entanto, ambas perderam os pais ainda jovens e lembram muito bem das dificuldades vividas pelas próprias mães: ambas trabalhavam com limpeza para sustentar a família. "Para algumas, ficar em casa com os filhos é uma escolha, mas sete em cada dez 'stay-at-home' mães voltariam a trabalhar se pudessem contar com maior flexibilidade. E 64% das mães aceitam trabalhos que exigem um nível mais baixo de formação simplesmente porque esses trabalhos são mais flexíveis", argumenta Kathrin Tyler. "Muitas mães ainda são forçadas a escolher entre uma carreira gratificante ou poderem estar presentes nas vidas de seus filhos", ressalta a empresária.

Assim, hoje, e apesar de não serem mães, Nikki e Kathryn se tornaram uma das principais vozes no Reino Unido na discussão em torno da necessidade de uma mudança de legislação para estancar a saída de mulheres do mercado de trabalho e para garantir o direito a um esquema mais flexível de trabalho. Em 2017, Digital Mums lançou uma campanha nacional sob o lema: "Let's Clean de F******* Word", em analogia a um palavrão muito usado em inglês: Fuck. O objetivo: mostrar que trabalho flexível havia se tornado um termo feio, a ser sussurrado, nunca a ser dito em voz alta. Flexibilidade havia se tornado um palavrão. A campanha foi parte de uma parceria de Digital Mums com a agência criativa global Iris (que tem entre seus clientes marcas como Samsung e Adidas).

Ao lado de Digital Mums, há dezenas de outras ativistas usando todo o poder das mídias sociais para tentar promover uma mudança de mentalidade no país. Mother Pukka, mãe de duas meninas, é uma delas. A jornalista e blogueira Anna Whitehouse lançou por exemplo a hashtag #flexappeal. "Ela pediu 15 minutos de flexibilidade em seu horário de chegada e de saída do trabalho. Eles disseram não por que 'eles teriam que fazer igual para todo o resto'. Então, ela pediu demissão e Mother Pukka nasceu. Nós começamos Mother Pukka para tentar fazer ser um pouco mais compatível ganhar a vida e criar um filho. #flexappeal é nosso esforço para fazer isso ser mais compatível também para o resto do mundo", argumenta Anna em seu blog.

Com quase 200 mil seguidores no Instagram, ela desabafa em um dos seus posts: "Coisas das quais me arrependo: pensar que pais eram preguiçosos ao deixar o escritório as 16h59. Tirar meu anel de noivado em uma entrevista de emprego (...) Jogar o jogo desse sistema de trabalho para no fim ser trapaceada por este mesmo sistema ao me tornar uma das 54 mil mulheres[6] que todos os anos perdem seus empregos por terem um filho".

Annie Ridout, editora, jornalista e autora do livro *The Freelance Mum — A flexible career guide for better work-life balance* também narra como seu contrato de trabalho foi encerrado quando ela se tornou mãe. No livro ela descreve sua trajetória para se estabelecer como freelancer após perder o emprego. Annie criou uma revista digital, *The Early Hour*, para pais que levantam cedo, com conteúdo sendo publicado às 5 horas da manhã. A partir do seu trabalho na revista digital, Anne começou a garantir trabalhos bem pagos na área de consultoria e edição de texto, e foi convidada a ser sócia de um aplicativo focado no bem-estar de mulheres. "Foi minha maneira de demonstrar vitória a uma companhia que me empregou, mas decidiu que eu havia me tornado inútil assim que nasceu meu bebê. Foi minha maneira de dizer: 'você pode me tirar meu emprego, mas não pode tirar meu poder."

---

6. De acordo com estimativa feita pela Equality and Human Rights Comission após avaliar os dados de pesquisa que ouviu 3.254 mães no Reino Unido: www.bit.ly/pesquisamaesreinounido

Quando terminei meu treinamento com Digital Mums, também escrevi uma espécie de manifesto para lançar minha nova carreira. Ou talvez se tratasse apenas de um desabafo: "Hoje eu quero falar da maternidade como uma fonte de poder e de mudança. Eu quero falar sobre esse outro aspecto da maternidade: não sobre a barreira, mas sim sobre o empoderamento. Hoje quero focar só no positivo. Quero falar sobre esse imenso e inexplicável amor que sinto por meus filhos e que me dá a energia para me reinventar, reinventar minha carreira e o que mais for necessário."

No período em que escrevia este livro, ganhei ainda o direito a ter a cidadania britânica e passei, desde então, a olhar este país que escolhi como casa com muito mais carinho. Hoje tenho orgulho de dizer que sou britânica porque aprendi a respeitar a história do Reino Unido e aprendi a admirar a sociedade em que vivo.

Morando em Londres com meu marido e dois filhos, sou hoje dona de uma microempresa de conteúdo e marketing digital, a Social River. E trabalho todas as manhãs, e trabalho quando meu filho cochila depois do almoço (e minha filha mais velha ainda está na escola) e, ao menos três vezes por semana, trabalho também à noite, depois de colocar meus filhos para dormir. As tardes, eu passo com meus filhos. Posso levar e buscar e Sofia na escola e colocar o Luca para dormir à tarde. Não está sendo fácil. Minha renda ainda não chega a ser a mesma de quando tinha um emprego formal. Em único mês cheguei a perder um cliente e quase não ter trabalho para então conquistar dois outros clientes e ter que começar a trabalhar também aos fins de semana.

Ainda assim, para mim e para a minha família, por enquanto esse esquema está funcionando. E, embora em termos de renda ainda esteja longe do que pretendo alcançar, essa montanha-russa que é empreender está me ensinado muito. Já não sou mais só a jornalista ou só a editora. Hoje em dia sou também contadora, relações públicas, auxiliar administrativa, fotógrafa, designer, gestora e responsável pelo atendimento ao cliente.

3 DICAS

Nas minhas tantas leituras, deparei com algumas "dicas" que acredito serem válidas para muitas mulheres, quer sejam mães, quer não.

1 • Lute contra o medo do fracasso

Tenho sérias ressalvas ao best-seller internacional *Faça Acontecer* da poderosa diretora de operações do Facebook, a americana Sheryl Sandberg. E não sou a única. O livro recebeu muitas críticas e foi visto como uma validação do atual sistema, nunca pedindo por mudanças estruturais no mercado de trabalho, nunca levantando a questão em relação a mudança de leis e de políticas públicas para combater a desigualdade de gêneros. E concordo com tais críticas. Porém, ainda assim, dois pontos específicos tocados pela executiva em seu livro chamam atenção e podem ser úteis. Um deles é a síndrome de impostor e o medo de fracassar envolvido nesse tipo de comportamento.

Embora discorde fundamentalmente da abordagem de Sandberg de que a solução esteja em cada mulher subir o mais alto que puder (buscando resolver assim o seu problema e não uma questão que é social, sem nunca questionar os fundamentos de um ambiente de trabalho dominado por regras masculinas) estou aqui, ainda assim, ao escrever estas páginas, seguindo um conselho dado por Sheryl Sandberg.

Enquanto desenvolvia este projeto, lutei diariamente com a certeza de que ninguém estaria interessado em ler estas páginas, de que simplesmente não valia a pena. Isso mesmo apesar de ter dados e mais dados que sustentavam quão atual e importante era o tema. Então, quando Sandberg pergunta em *Faça Acontecer*: o que você faria se não tivesse medo? Respondi sem pensar duas vezes: escreveria este livro.

Homens tendem a confiar mais em sua capacidade e não só aceitar, como buscar o sucesso. São educados para serem mais competitivos e almejar o sucesso sem culpa. As mulheres, em contrapartida e de forma geral, ainda têm muita dificuldade em acreditar em si mesmas e veem o sucesso com receio. Pois bem, é hora de mudar. E não só para o bem do indivíduo; mas para o bem de toda a sociedade, para reivindicarmos este poder que estamos entregando de bandeja ao acreditarmos que não temos poder algum.

2 • Não saia antes que você TENHA que sair

A pressão para conciliar vida familiar e profissional é tão grande que apavora as mulheres muito antes do bebê nascer ou ser concebido. Ou ainda antes mesmo de muitas encontrarem os pais dos seus filhos, como Sandberg afirma em *Faça Acontecer*: "No entanto, quando se trata de integrar carreira e família, planejar com muita antecedência pode fechar portas mais do que abri-las (...) Muitas vezes, sem sequer perceber, a mulher deixa de buscar novas oportunidades". A profissional começa a ser sacrificada antes mesmo do que seja necessário sacrificá-la e, neste ponto específico, concordamos: não faz sentido.

3 • Mantenha-se no jogo

Pode parecer o mesmo conselho do ponto dois, somente dito de uma maneira diferente. Eu garanto: não é.

Caso chegue o momento e você decida que deve sair, não saia completamente. Busque de alguma forma manter-se no jogo e exercer sua profissão ou desenvolver algum projeto. "Se você for estratégica pode encontrar maneiras de manter suas redes de contatos ativas e suas habilidades em dia mesmo se quiser desacelerar, mover-se lateralmente ou até mesmo regredir por um tempo", aconselha Anne-Marie Slaughter em *Unfinished Business*. Esse esforço irá fazer bem não só a sua autoestima como também potencialmente ajudá-la na volta ao mercado de trabalho quando e se um dia quiser fazê-lo.

NASCE UMA MÃE, NASCE UMA FEMINISTA

> "Hoje, batendo nos limites do cansaço e de um sentimento de injustiça, perguntam onde foi que eu errei? Não foram elas que erraram. Quem continua errando é a sociedade que não sabe como acolhê-las"
>
> Rosiska Darcy de Oliveira

Já estava com a minha pesquisa avançada e cada livro ou estudo me levava a novas leituras, abria o campo de visão, trazia novas questões, talvez até mesmo a inspiração para mais um capítulo. Mas foi somente ao ler a obra da brasileira Rosiska Darcy de Oliveira que me descobri feminista. Talvez precisasse ver em minha própria língua a defesa de princípios que intuía como verdadeiros, porém ainda não podia definir.

E foi então que me tornei obsessiva. Tentar entender como não havia percebido antes essa ilusão de igualdade, como havia me enganado ou me deixado enganar por tanto tempo, era meu único foco de atenção. Me tornei monotemática. Eram somente estes os temas que atraíam minha atenção e, embora muitas amigas tenham buscado me consolar, outras logo se cansaram de mim. Uma inclusive disse que devia deixar de tentar mudar o mundo. "Se está insatisfeita busque algo para fazer, vá vender brigadeiro", me escreveu um dia. Pois bem, tive uma ideia ainda melhor: optei por escrever este livro.

Nunca quis e não quero mudar o mundo. Seria muita pretensão. Mas, sim, quero mudar algo e acredito não estar sozinha. Já não consigo aceitar a hipocrisia de um discurso que me diz que sou igual quando na verdade devo me transformar em alguém que não quero ser para poder atingir o sucesso e a amplitude de oportunidades que a igualdade deveria de fato me oferecer.

> Algumas pessoas me perguntam, 'Por que a palavra feminista?' Por que não dizer simplesmente que você acredita em direitos humanos, ou algo assim? Porque seria desonesto. Feminismo, é claro, faz parte se direitos humanos em geral – mas escolher usar a expressão vaga direitos humanos é negar o problema específico e particular de gênero. Seria uma maneira de fingir que as mulheres não foram, por séculos, excluídas"
>
> Chimamanda Ngozi Adiche

No livro *Elogio da Diferença*, Rosiska Darcy de Oliveira defende que apenas a interiorização pelas próprias mulheres do feminino como algo inferior explicaria essa entrada tão mal negociada no mundo do trabalho, em um território exclusivamente masculino até então. A permissão da entrada no mundo do trabalho exige que as mulheres se comportem como homens e dá origem a outro mal-estar que a feminista brasileira assim define: "(...) o mal-estar da dona de casa era substituído por outro mal-estar, também sem nome: por um sentimento de inadaptação".

Não quero trocar um mal-estar por outro. Não quero trocar a desigualdade por uma ilusão de igualdade. Quando a dona de casa americana Betty Friedan publicou *A Mística Feminina* (*The Feminine Mystique*, em inglês), em 1963, ela deu voz a toda uma geração de mulheres criadas e educadas para terem família e filhos como uma única fonte de satisfação e alegria. Seu livro definiu as bases para uma nova onda do movimento feminista e a busca por realização profissional por mulheres ao redor do mundo.

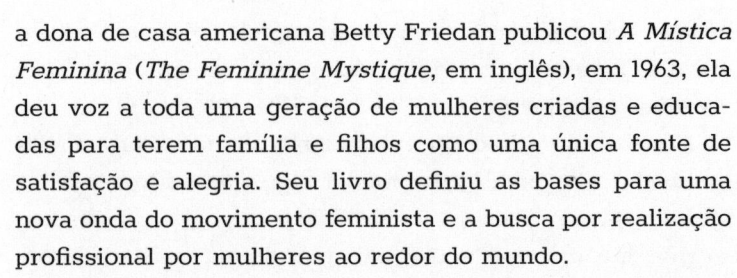

E até me tornar mãe não havia sentido que o sonho de igualdade ainda estava tão distante e difuso. A maternidade foi, portanto, o meu momento.

Para outras mulheres, outros são os momentos em que a ilusão de igualdade se desfaz. Talvez após terem sido assediadas na rua ou no trabalho. Ou após terem que se submeter a um aborto ilegal em uma clínica clandestina como marginais, e não como mulheres adultas que deveriam ter direito a seus corpos.

Ou ainda ao serem chamadas de egoístas por outra mulher por optarem justamente não querer ter filhos e priorizar suas carreiras, como relatou a jornalista Raquel Novaes em um texto publicado pelo site *Mãe Com Prosa*. "Não sou muito boa com números, mas para mim é claro que há duas possibilidades: você pode escolher ter filhos ou não. É 50% de chance para cada lado. Se existe essa opção, por que você não tem direito a escolhê-la? Parece que as mulheres são obrigadas a querer ter filhos."

E desabafa: "Penso que egoísta eu seria se tivesse um filho e negligenciasse a educação dele para cuidar só de mim. Mas o filho nem existe. Como posso ser egoísta? Aliás, conheço muita gente assim, que delega a educação dos filhos. O sonho era só engravidar? Só ver o filho nascer? Assim é fácil."

Foi assim que este livro se tornou o resultado do trabalho de uma jornalista, de uma pesquisadora, mas também de uma ativista, de alguém que acredita em escolhas, desde que estas sejam escolhas reais e não apenas uma ilusão que se desfaz cedo ou tarde na vida de uma mulher.

BIBLIOGRAFIA

ASHER, Rebecca. *Shattered*: Modern Motherhood and the Illusion of Equality. Vintage, 2012.

BOOTH, Robert. Four-day week: trial finds lower stress and increased productivity. *The Guardian*, February 19, 2019. Disponível em https://www.theguardian.com/money/2019/feb/19/four-day-week-trial-study-finds-lower-stress-but-no-cut-in-output.

CAPELATTO, Ivan. *Cuidado, afetos e limites*: Uma combinação possível/Ivan Capelatto; José Martins Filho. Quarta Edição, Campinas, SP: Papirus 7 Mares, 2012.

Catalyst. Quick Take: Buying Power. *Research*, November 27, 2018. Disponível em https://www.catalyst.org/research/buying-power/.

CRITTENDEN, Ann. *If You've Have Raised Kids, You Can Manage Anything* - Leadership Begins at Home. Nova York: Gotham Books.

_____. *The Price of Motherhood*, Why the Most Important Job in The World is Still the Least Valued, Nova York: Picador, 2010.

DELISTRATY, Cody C. To Work Better, Work Less. *The Atlantic*, August 8, 2014. Disponível em http://www.theatlantic.com/business/archive/2014/08/to-work-better-work-less/375763/.

DONOVAN, Anne; FINN, Denis. PwC's NextGen: A global generational study 2013. *PWC*, 2013. Disponível em https://www.pwc.com/gx/en/hr-management-services/pdf/pwc-nextgen-study-2013.pdf.

GAY, Roxane. Confessions of a Bad Feminist. *TED*, May 2015. Disponível em https://www.ted.com/talks/roxane_gay_confessions_of_a_bad_feminist/transcript?language=en.

KLEVEN, Henrik; LANDAIS, Camille; SØGAARD, Jakob Egholt. Children and Gender Inequality: Evidence from Denmark. *NBER Working Paper* nº 24219, January 2018. Disponível em https://www.henrikkleven.com/uploads/3/7/3/1/37310663/kleven-landais-sogaard_nber-w24219_jan2018.pdf.

KLIFF, Sarah. A stunning chart shows the true cause of the gender wage gap. *Vox*, February 19, 2018. Disponível em https://www.vox.com/2018/2/19/17018380/gender-wage-gap-childcare-penalty.

LIGHT, Paulette. Why 43% of Women With Children Leave Their Jobs, and How to Get Them Back. *The Atlantic*, April 19, 2013. Disponível em https://www.

theatlantic.com/sexes/archive/2013/04/why-43-of-women-with-children-leave-
-their-jobs-and-how-to-get-them-back/275134/.

LIMA, Juliana Domingos de. Por que 50% das brasileiras saem do trabalho após a licença-maternidade. *Nexo Jornal*. 7 de setembro de 2017. Disponível em https://www.nexojornal.com.br/expresso/2017/09/07/Por-que-50-das-brasileiras-saem-do-trabalho-ap%C3%B3s-a-licen%C3%A7a-maternidade.

NEMY, Enid. Felice N. Schwartz, 71, Dies; Working Women's Champion. *The New York Times*, February 10, 1996. Disponível em https://www.nytimes.com/1996/02/10/world/felice-n-schwartz-71-dies-working-women-s-champion.html.

OLIVEIRA, Rosiska Darcy de. *Elogio da Diferença*: o feminino emergente. Rio de Janeiro: Rocco, 2012.

_____. *Reengenharia do Tempo*. Rio de Janeiro: Rocco, 2003.

Pwc Brasil. O Futuro do Trabalho: Impactos e Desafios para as Organizações no Brasil. *PwC*, 2014. Disponível em https://www.pwc.com.br/pt/publicacoes/servicos/assets/consultoria-negocios/futuro-trabalho-14e.pdf.

RENNER, Estela; VILELA, Ana Lúcia. *Vínculo*. Curta-metragem dirigido por Estela Renner. Disponível em http://ocomecodavida.com.br/vinculo/.

SAINT-EXUPÉRY, Antoine de. *Le Petit Prince*. Collection Folio, Gallimard, 1999.

SCHWARTZ, Felice. Management Women and the New Facts of Life. *Harvard Business Review*, February 1989.

SINAY, Sergio. *A Sociedade dos Filhos Órfãos*. Best Seller, 2011.

SLAUGHTER, Anne-Marie. *Unfinished Business, Women, Men, Work, Family*. Oneworld Publications, 2015.

SPAR, Debora. *Wonder Women, Sex Power and the Quest for Perfection*. Nova York: Sarah Crichton Books, 2013.

STONE, Pamela. *Opting Out?* Why Women Really Quit Careers and Head Home. Los Angeles: University of California Press, 2007.

THOMAS JR., Landon. Brenda Barnes, Pepsi Chief Who Spurred a Work-Life Debate, Dies at 63. *The New York Times*, January 20, 2017. Disponível em https://www.nytimes.com/2017/01/20/business/brenda-barnes-dead.html.

VOLPICELLI, Gian. How will workplaces change by 2025? *Wired*, December 7, 2015. Disponível em http://www.wired.co.uk/article/workplaces-in-2025.

Este livro foi impresso em agosto de 2019, pela gráfica Bartira, em papel Norbrite 67g